CB025456

Para

com votos de paz.

/ /

NOTA DA EDITORA

A Bíblia está entre nós há muito tempo. Foram muitos anos com cópias e traduções para quase 750 idiomas diferentes. Cada denominação cristã atualmente tem uma versão própria, com diferenças entre elas, o que pode ser averiguado com simples comparações.

A benfeitora Amélia Rodrigues, notória poetisa baiana e professora quando encarnada, do Mundo espiritual descreve-nos fatos da vida de Jesus em suas obras. Conforme já elucidado pela própria autora espiritual, suas narrativas evangélicas contêm informações "**hauridas nos alfarrábios do Mundo espiritual e nas memórias arquivadas em obras de incomum profundidade por alguns dos seus apóstolos e contemporâneos, encontradas nas bibliotecas do Mais-além, que trazemos ao conhecimento dos nossos leitores, a fim de revivermos juntos o sublime Ministério do Rei Solar a quem amamos com entranhado enternecimento**".* Portanto, no texto mediúnico proposto por ela, há informações que não necessariamente são abordadas e descritas na literatura terrena.

---

* FRANCO, Divaldo; RODRIGUES, Amélia [Espírito]. **A mensagem do amor imortal**. 1. ed. Salvador: LEAL, 2008, Prefácio. Vide também as obras *Primícias do Reino* (Prólogo) e *Luz do mundo* (Antelógio).

DIVALDO FRANCO

Pelo Espírito AMÉLIA RODRIGUES

A MENSAGEM DO AMOR IMORTAL

SÉRIE AMÉLIA RODRIGUES – VOL. 9

EDITORA LEAL

SALVADOR

1. ED. ESPECIAL – 2024

COPYRIGHT ©(2008)
CENTRO ESPÍRITA CAMINHO DA REDENÇÃO
Rua Jayme Vieira Lima, 104
Pau da Lima, Salvador, BA.
CEP 412350-000
SITE: https://mansaodocaminho.com.br
EDIÇÃO: 1. ed. – 2024
TIRAGEM: 1.000 exemplares
COORDENAÇÃO EDITORIAL
Lívia Maria Costa Sousa

REVISÃO
Plotino da Matta • Iana Vaz
CAPA E MONTAGEM DE CAPA
Ailton Bosco
EDITORAÇÃO ELETRÔNICA
Ailton Bosco
GLOSSÁRIO: Cleber Gonçalves, Lenise Gonçalves e Augusto Rocha
COEDIÇÃO E PUBLICAÇÃO
Instituto Beneficente Boa Nova

PRODUÇÃO GRÁFICA
LIVRARIA ESPÍRITA ALVORADA EDITORA – LEAL
E-mail: editora.leal@cecr.com.br

DISTRIBUIÇÃO
INSTITUTO BENEFICENTE BOA NOVA
Av. Porto Ferreira, 1031, Parque Iracema. CEP 15809-020
Catanduva-SP.
Contatos: (17) 3531-4444 | (17) 99777-7413 (WhatsApp)
E-mail: boanova@boanova.net
Vendas on-line: https://www.livrarialeal.com.br

Dados Internacionais de Catalogação na Publicação (CIP)
(Catalogação na fonte)
BIBLIOTECA JOANNA DE ÂNGELIS

F825 FRANCO, Divaldo Pereira. (1927)

A mensagem do amor imortal. 1. ed. especial / Pelo Espírito Amélia Rodrigues [psicografado por] Divaldo Pereira Franco, Salvador: LEAL, 2024.
240 p.
ISBN: 978-65-86256-53-6

1. Espiritismo 2. Psicografia 3. Evangelho
I. Título II. Divaldo Franco

CDD: 133.93

Bibliotecária responsável: Maria Suely de Castro Martins – CRB-5/509

SUMÁRIO

A MENSAGEM DO AMOR IMORTAL

Repensar Jesus Cristo e Sua Mensagem, nos turbulentos dias da atualidade, torna-se uma necessidade impostergável.

Em face da violência e da alucinação de todo porte, que tomam conta dos diversos setores da sociedade hodierna, o homem e a mulher que se consideram civilizadas estorcegam nas constrições do progresso material, quase vencidas pelos transtornos psicológicos de conduta, sob contínua ameaça de depressão, de síndrome do pânico, de fuga espetacular para a drogadição, o alcoolismo, o tabagismo, o sexo em desalinho, as ambições do poder e do gozar...

A momentânea perda dos valores éticos, habilmente confundidos com as propostas das filosofias utilitarista e cínica, deixa o ser humano sem discernimento lúcido para agir corretamente, em face dos disparates e das aberrações apresentados, alguns deles tornados legais, como o aborto, a eutanásia, o suicídio, a pena de morte que, no entanto, permanecem inscritos nos Estatutos Divinos como crimes hediondos...

A rápida presença de propostas evangélicas perturbadas e perturbadoras em sincretismo banal, na mídia e em toda parte, firmadas no temor a Deus *e em vergonhosas demonstrações espetaculosas de curas fantasistas e de soluções de todos os problemas, pela simples aceitação de Jesus no coração e do respectivo pagamento do dízimo, mais confunde a compreensão da sã doutrina do que a esclarece.*

Caracterizadas pelo fanatismo medieval, tornam-se soluções de fácil utilização, arrebanhando os indivíduos descrentes do mundo e das suas artimanhas, no entanto, sedentos por um lugar ao sol das disputas sociais e econômicas, do brilho fascinante dos holofotes, mesmo que temporário, na sua rapidez e consumpção...

Enquanto isso ocorre, as doutrinas ortodoxas do passado apressam-se em reconquistar as ovelhas *que tresmalharam, utilizando-se de recursos parecidos, em tentativas infrutíferas de manterem os privilégios conseguidos ao longo dos séculos.*

A sua derrocada é visível ante a invasão do seu território por filosofias excêntricas, em nome das quais o suicídio vergonhoso e, ao mesmo tempo, homicida, é o seu cartão de apresentação, em trágicos sucessos de mortes de civis – crianças, mulheres, idosos e enfermos – e militares que lhes constituem o alvo.

Ao mesmo tempo, expande-se o materialismo existencialista que convive muito bem com alguns religiosos na aparência e sem qualquer religiosidade, cujas existências se celebrizam pelo despautério, pela chocarrice aos direitos humanos e aos da Natureza...

As convulsões emocionais e sociais, decorrentes da violência de todo tipo, iniciando-se no próprio cidadão e espalhando-se no lar, no trabalho, nas ruas de todas as nações, em forma de assalto, estupro, homicídio, desonestidade, terrorismo, revoluções e guerras, geram o temor que domina expressiva parte da mole humana.

A vitória da astúcia e do crime de todo porte, nas altas entidades governamentais, debatidos em arranjados conciliábulos de inquéritos administrativos e parlamentares, carimbados pelos interesses de classes e de grupo, conduz incontáveis cidadãos honestos ao desinteresse pela honra e pela dignidade.

O desfile dos usurpadores dos escassos recursos dos pobres, sob aplausos, homenageados pelas próprias vítimas, na ignorância em que se demoram, é mais um quadro patético das ocorrências servis do crepúsculo da cultura e da civilização contemporâneas.

Há contínuas demonstrações de loucura coletiva, campeonatos de insensatez, aumento de doenças degenerativas e viroses decorrentes da promiscuidade sexual e moral, ameaçadoras, quais espadas de Dâmocles prestes a cair sobre as cabeças que lhes estão expostas.

Tudo isso ocorre, sem dúvida, por esquecimento de Jesus e dos Seus ensinamentos simples e nobres, profundos e sábios, que ainda não foram incorporados ao dia a dia das existências que se dizem a Ele vinculadas.

Embora lamentando essas ocorrências, nem tudo é caos no abençoado planeta que nos serve de berço e de escola para o processo de evolução.

Simultaneamente, multiplicam-se também as organizações de proteção à criança e ao adolescente, ao idoso e à mulher, à fauna e à flora, à água e à Natureza em geral, ao mesmo tempo, dando lugar ao aparecimento de missionários do amor, da ciência, da arte, do pensamento, dedicados à transformação destes por outros dias de renovação e de paz.

Renascem na Terra, igualmente, incontáveis Espíritos nobres que estão encarregados pelo incomparável Rabi, para apressarem os momentos da grande transição, que ora atinge o seu clímax, convidando todos aqueles que amam a se unirem no esforço comum da fraternidade, do trabalho, da tolerância, da caridade, da iluminação de consciências.

Uma nova ética se apresenta, fundamentada nos postulados do Evangelho desvestido de fantasias e de utopias, evocando os momentos em que Jesus esteve na Terra ensementando nas mentes e nos corações a Sua Mensagem do Amor Imortal.

Apesar de transcorridos vinte séculos desde aqueles inesquecíveis e formosos dias das Suas jornadas pelas terras áridas da Palestina, uma releitura dos Seus ensinamentos é de utilidade imediata, por haver-se transformado em psicoterapias preventivas e curadoras para os males modernos que dizimam as multidões, mutilam e desnorteiam os seus sobreviventes.

Reler, com a mente e com o sentimento, as páginas fulgurantes da Boa-nova, constitui um desafio e uma bênção para todo aquele que, honestamente, anela por melhores dias e mais felizes condições para si mesmo e para os seus contemporâneos, com os olhos postos no porvir glorioso da Humanidade.

Jesus é o insuperável Cantor da felicidade e o Seu canto extasia, seja na conceituação, na magnitude da sua forma e beleza, seja no exemplo de que Ele se fez, assinalando de forma indelével a Sua passagem terrestre.

Dois mil anos não foram suficientes para diminuir o significado do Seu poema de amor, mesmo sofrendo as injunções dos desonestos que dele se utilizaram para desfrutar o banquete rápido da projeção política e econômica no mundo.

Utilizado como escudo para a crueldade, levado ao desrespeito, zombado, minimizado na Sua grandeza, Ele permanece inalterável até hoje.

Ninguém consegue, porém, resistir ao fascínio do Seu canto!

Quando se pensa que Ele está olvidado, ei-lO que ressurge de maneira inesperada, nem sempre apresentado com nobreza, nas variações da cultura dos tempos, mas estoico e invencível, Guia e Modelo para todos os seres humanos.

– Passarão o Céu e a Terra, mas as minhas palavras não passarão – *enunciou num momento de amor pela Humanidade, numa promessa de ternura infinita, deixando para todos um roteiro de segurança que facilita a conquista da plenitude.*

Hoje, portanto, mais do que nunca, Jesus está presente na sociedade, socorrendo-a e aguardando ser recebido e compreendido.

Para esse mister, Seus emissários espirituais devotados procuram despertar as consciências adormecidas para o grande encontro, no qual a Terra ascenderá na direção dos Céus através das ações do bem e do bom, em verdadeiros hinos de imortal beleza.

Este não é mais um livro sobre alguns fatos da vida de Jesus.

É um conjunto de recordações hauridas nos alfarrábios do Mundo Espiritual e nas memórias arquivadas em obras de incomum profundidade por alguns dos seus apóstolos e contemporâneos, encontradas nas bibliotecas do Mais Além, que trazemos ao conhecimento dos nossos leitores, a fim de revivermos juntos o sublime Ministério do Rei Solar a quem amamos com entranhado enternecimento.

Reconhecendo, no entanto, a pobreza vocabular com que vestimos essas lembranças, confiamos que possam auxiliar, pelo menos, alguém, a ter diminuídas as suas aflições, vinculando-o ao Amor não amado *e avançando com galhardia na conquista dos valores que plenificam a mente e harmonizam o coração.*[1]

Amélia Rodrigues

Paramirim – BA, 23 de julho de 2008.

1. Não tivemos a preocupação de obedecer à ordem cronológica dos acontecimentos. Fizemos as narrativas conforme as ocorrências dos dias em que foram escritas (nota da autora espiritual).

1

SOU UM HOMEM PECADOR...[2]

Cafarnaum era, então, uma aldeia de pescadores, camponeses, jornaleiros, transformando-se, lentamente, em uma cidade esfervilhante, que passaria à posteridade como sinônimo de balbúrdia, de desordem, que o evangelista Mateus terá ocasião de informar que era a *Sua cidade...*

Em face da sua localização geográfica, tornara-se importante encruzilhada de caminhos, entre os quais aquele que conduzia à importante Damasco, passando pela Itureia, levando ao rumo do mar...

Em consequência, muitos profissionais vinham de diferentes lugares a fim de exercerem as suas habilidades, ali fincando raízes. Por outro lado, progredia o intercâmbio de moedas das diferentes regiões, num comércio rico de possibilidades de crescimento.

2. Lucas, 5: 1 a 11 (nota da autora espiritual).

Simultaneamente, aventureiros de todo porte chegavam à cidade ávidos de prazeres e negócios escusos, na expectativa de conseguir fortuna fácil.

Espraiando-se pelas margens frescas do Mar da Galileia, beneficiava-se das suas aragens agradáveis, ao tempo em que se renovava na arquitetura, nos jogos e festas dedicados à futilidade.

Caracterizada pelo seu povo gentil, especialmente generoso e simples, as pessoas contentavam-se com os recursos de que dispunham, sem deixar-se contaminar pelas paixões pervertidas das grandes urbes, que eram trazidas pelos recém-chegados.

Quando Jesus apareceu, foi acolhido gentilmente com carinho e sem despertar as suspeitas habituais, como se fosse um deles.

Aos sábados, na sinagoga oblonga e sem vida, vitimada pela rotina e indiferença dos seus sacerdotes, quando Ele se apresentava, verdadeiras multidões acorriam ávidas de conhecimentos, a fim de ouvi-lO dissertar sobre os profetas e a Lei, de maneira inusitada, rica de poesia e beleza, que a todos fascinava.

As velhas palavras adquiriam significado novo, emoldurando as vidas com esperança e alegria existencial.

O verbo, ora doce e suave, logo depois, enérgico e nobre, penetrava o âmago dos corações e insculpia-se nas mentes que renovavam os conceitos em torno da vida e dos relacionamentos humanos.

Ao abrir os rolos dos pergaminhos antigos, ao acaso, lia um texto de Isaías ou Jeremias, ou de outro sábio israelita, invariavelmente da Lei, trazendo à atualidade a conceituação que parecia perdida no tempo, podendo ser aplicada no quotidiano existencial.

Como consequência, a Sua fama percorreu as aldeias circunjacentes, alcançando outros centros urbanos como Dalmanuta, Magdala, Corazim, que mais tarde se transformariam em pérolas com que Ele comporia o belo colar em volta do Lago de Tiberíades, piscoso e abençoado.

Todos desejavam ouvi-lO, vê-lO, tocá-lO, encantando-se com a Sua majestade singela e incomum.

Nazareno, identificava-se pela cabeleira longa, partida ao meio e pela barba que lhe descia da face aureolada por seráfica beleza.

Dantes, jamais se ouvira algo semelhante ao que Ele enunciava.

Ninguém ficava indiferente à Sua palavra, inclusive aqueles que nunca se haviam interessado pelos rabinos e seus talentos, sempre malvistos, embora temidos e respeitados.

Não se sabia exatamente nada a respeito da Sua procedência e realmente não se interessavam por informar-se.

Caminhando pela praia, fazia-se acompanhar por muitos daqueles que se haviam sensibilizado com os Seus comentários...

Acercando-se, oportunamente, da barca de Simão bar Jonas, nela adentrou-se e propôs ao conhecido pescador que remasse na direção do mar, a fim de se afastarem das pessoas curiosas.

Durante o breve percurso confortou aqueles que nela se encontravam, desalentados, falando-lhes sobre a alegria de viver, e porque fosse informado que nada haviam pescado, pediu-lhes que atirassem as redes às águas levemente eriçadas.

Simão, algo frustrado, respondeu-Lhe:

– Senhor, tenho trabalhado toda a noite, nada apanhamos; porém, sob tua palavra, lançarei as redes.

Ao fazê-lo, estremeceu, porque logo se deu conta de que, ao puxá-las, encontravam-se refertas, como nunca anteriormente, quase se rompendo. O deslumbramento foi de tal maneira, que todos gritaram, chamando os companheiros de outra barca, para que os viessem ajudar. A pesca houvera sido tão frutuosa, que as barcas pareciam afundar ao peso dos peixes recolhidos...

Simão, diante do acontecimento, tomado de súbita emoção e de horror, arrojou-se-Lhe aos pés, ajoelhando-se, e disse-Lhe:

– *Retira-te de mim, Senhor, porque sou um homem pecador.*

Penetrando-o com o dúlcido olhar, que também se estendeu aos demais que se encontravam na barca, Tiago e João, filhos de Zebedeu, que eram sócios de Simão, Ele redarguiu, com nobreza:

– *Não temas. De agora em diante serás pescador de homens.*

De retorno à praia, eles deixaram as barcas e O seguiram.

Iniciava-se o ministério de que eles não tinham qualquer ideia. Era o entusiasmo, o amor espontâneo que lhes brotara na alma, seguindo-O, sem dimensão da responsabilidade, da grandeza do compromisso.

Preparado o solo dos corações, Ele começou a distribuir as sementes abençoadas do *Reino de Deus*.

Reuniu-os em uma nova família, ao arrancá-los dos lares, convocando-os para a edificação de um mundo de amor como nunca houvera até então.

Ele era pobre, porque se fizera igual àqueles para os quais viera, de modo que não houvesse distância de qualquer natureza entre eles, exceto a que defluía da Sua realeza espiritual.

Desse modo, convocava os ricos a que se fizessem pobres, considerando a fortuna como um perigo para a alma, em face do uso que dela fosse feito.

Os fartos encontravam-se saciados, não necessitando de mais nada, pelo menos do ponto de vista material.

Era necessário ser pobre de avareza, de orgulho e de prepotência, esses tesouros ignóbeis que acompanham as posses, envilecendo-as.

Era simples, porque assim se tornara, embora detentor do poder espiritual, que desvelaria suavemente, a fim de não os assustar, despreparados como ainda se encontravam.

Elegera-os, porque representavam a massa desprezada pelos governantes e exploradores, lentamente equipando-os com os sublimes instrumentos e informações para o futuro.

Sabia-os fracos, porém, confiava nas suas forças bem mais tarde, quando fossem convocados ao testemunho.

Conhecia-os a todos, desde há muito... Eles não se recordavam, mas sentiam algo estranho, inexplicável, junto a Ele.

Os Seus combatentes seriam treinados para a vitória sobre si mesmos de início, e, logo depois, para mudarem o rumo da História.

Tratava-se de uma empreitada surpreendente, que nunca fora tentada.

Nem eles se apercebiam do que lhes estava acontecendo, nem era necessário.

Emoção, encanto, eram as forças que os dominavam naqueles dias, logo se surpreendendo com os acontecimentos pouco festivos e muito afligentes, as perseguições sistemáticas, enquanto Ele alterava as estruturas sociais e morais vigentes.

Quando chegassem os tormentosos dias, eles seriam temperados como os metais nas labaredas do ódio dos outros, nas chamas do medo, no braseiro das dúvidas, para, logo depois, estarem habilitados para a batalha, o grande confronto com o mundo em decadência, onde colocariam os alicerces da Era Nova.

Era Cafarnaum...

Era um homem pecador...

E dali, com ele e os outros, Jesus empreendeu a mais fascinante saga da Humanidade, alterando o ritmo sociomoral do Planeta e instalando no imo dos seres os contornos do Reino de Deus nos corações.

– *Na minha barca* – dissera Pedro – *não pode estar um homem santo como Tu.*

E Jesus dele fez pescador de homens na imensa barca terrestre sob o Seu comando sublime.

O antigo mar restrito ampliou-se, desde aqueles dias, para além das praias de Cafarnaum, enquanto as multidões aflitas encontram-se nas suas margens, ainda hoje, aguardando os modernos pescadores de almas...

Centro Espírita Caminho da Redenção

Amélia Rodrigues

Salvador – BA, 28 de janeiro de 2008.

2

THALITA[3]

O incomparável poder de penetração do Mestre no âmago das questões que Lhe eram apresentadas, assim como a Sua percepção profunda em torno da realidade, permitiam-Lhe o exato conhecimento daquilo que se passava no íntimo das pessoas como das causas que haviam gerado os problemas de que se queixavam.

Absolutamente consciente da Sua origem e do ministério que deveria exercer entre as criaturas humanas, a naturalidade com que agia e a compaixão de que se revestiam os Seus atos, tais eram as características com que atendia a dor e a ignorância das multidões que O buscavam.

A volumosa massa de pessoas miseráveis, desprezíveis e ociosas que se encontravam por toda parte, era-Lhe a grande paixão.

Dessa forma, onde quer que fosse, defrontava as necessidades e dores de variado porte, que d'Ele se

3. Marcos, 5: 35 a 43 (nota da autora espiritual).

aproximavam exibindo suas exulcerações morais, físicas, econômicas, rogando ajuda.

A Sua fama corria com a velocidade dos ventos em todas as direções, despertando inusitado interesse nesses esquecidos e excluídos da sociedade.

Mas não apenas esses, e sim todos aqueles que tinham aflições e carência de saúde, de afetividade, de paz, de amor...

A todos Ele atendia com a mesma comiseração e paciência, despertando-os para a realidade da vida legítima, dos seus valores, dos seus objetivos essenciais.

Raros, no entanto, buscavam entendê-lO. Compreende-se a miserabilidade intelectual em que se debatiam os mais numerosos, desinteressados totalmente dos valores imperecíveis do Espírito imortal. Tinham necessidades, desejavam supri-las, e isso os bastava. N'Ele viam apenas o equacionador, aquele que lhes resolvia os problemas e os aninhava no coração. Ainda hoje é, mais ou menos, assim. Os infelizes andam mais preocupados em ser recebidos e cuidados, do que em retribuírem com uma parcela sequer do que disputam conquistar. É parte do fenômeno da evolução, do estágio espiritual em que se encontram, ainda longe das legítimas aspirações que enobrecem e libertam.

A aridez do solo adusto bem representava a constituição das multidões que O buscavam, sedentas de amor, de pão e de saúde, mas sem recursos de bondade para que neles permanecessem os auxílios que recebiam.

Atendidas nas angústias mais pungitivas e imediatas, exultavam, aplaudiam-nO, e retornavam com avidez aos mesmos hábitos perversos em que se compraziam.

As palavras ouvidas não se lhes fixavam no íntimo de maneira que os renovassem, evitando-lhes futuras escabrosidades e desalinhos, e contentando-se somente com o que lhes acontecia no momento célere, que logo passava.

Apesar disso, havia também aqueles que ansiavam pelo Reino dos Céus, que anelavam conquistar, cansados que se encontravam sob o fardo opressor do mundo hostil.

Seguiam-nO, sinceramente tocados de esperanças e deixavam-se impregnar pelo magnetismo que d'Ele se exteriorizava.

As jornadas pelas cidades e aldeias às margens do Lago de Genesaré eram enriquecedoras, inolvidáveis.

A Sua palavra possuía um timbre especial que penetrava a acústica da alma e marcava-a; os Seus ensinamentos eram de fácil assimilação, embora de muito difícil experiência vivencial.

Numa época em que o poder da força, da traição e da covardia moral constituía fenômeno natural, a força do amor, da lealdade e da coragem da fé parecia tão impossível, que poucos somente se atreviam a aceitá-lo como verdadeiro. O mundo dos gozadores estava repleto de triunfadores que esmagaram os outros, que tripudiavam sobre todos, enquanto os indivíduos honestos e probos permaneciam em plano inferior, dominados, espezinhados, sem possibilidades de soerguimento.

O discurso de Jesus era e prossegue dirigido a todos, sem dúvida. Aos vitoriosos, advertindo-os da ilusão sobre a qual depositavam suas alegrias e esperanças e aos desconsiderados, convidando-os à renovação e ao refazimento de forças, em face da transitoriedade da ocorrência. E embora parecendo impossível de reverter-se essa ordem de valores, não eram poucos aqueles que acreditavam nos Seus ensinamentos, anunciando-os a outros que os não escutaram.

Os fenômenos maravilhosos das curas, que tanto impressionam as criaturas, repetiam-se em um contínuo inusitado. Jamais aquilo acontecera antes e nunca mais voltaria a suceder.

Os mais estranhos acontecimentos se concretizavam com a Sua presença. Surdos, cegos, mudos, paralíticos, leprosos, loucos e endemoninhados recuperavam-se ante a Sua determinação, refazendo o corpo ulcerado, que volvia a movimentar-se, readquirindo a função perdida. Todos, por mais rudes fossem as suas provações, tinham-nas amenizadas, diluídas pelo Seu verbo de luz e pelo Seu sentimento de incomparável amor.

Antes d'Ele ninguém jamais se atrevera a adentrar-se pelo misterioso mundo da Morte, de lá arrancando aqueles que haviam sido recolhidos. Mas Ele, sim.

Acabara de atender a mulher hemorroíssa e a multidão era volumosa, estava ávida de novos e incessantes *milagres*, quando, desesperado, o chefe da sinagoga tentava falar-Lhe. Foi nesse comenos, que alguns dos seus servos desesperados vieram dizer-lhe que já era demasiado tarde, que não necessitava incomodar o Mestre, pois que, sua filha houvera morrido...

Uma imensa consternação tomou o pai aflito e alguns que o conheciam.

Escutando a informação, o Amigo daqueles que não tinham amigos, dirigiu-lhe a palavra de alento, prontificando-se a visitar a criança.

Chegando a casa, convidou apenas os discípulos mais íntimos a entrarem e contemplou a menina que jazia hirta. Porque alguém informasse que ela estava morta, o Senhor da Vida elucidou que a mesma se encontrava dormindo... E, convidando os seus pais e aqueles reduzidos amigos para que permanecessem, solicitou que todos os demais saíssem, após o que, jovial e sábio, determinou:

– *Thalita, koum!* (Menina, levanta-te e anda!)

Erguendo-se do leito, e inundada de vida, a menina foi retirada dali, enquanto Ele propunha:

– *Deem-lhe de comer!*

...E saiu como um raio de sol que acabara de inundar de luz as trevas existentes.

O episódio envolvendo a menina que *dormia* é portador de grande significado para todas as criaturas, especialmente para aquelas que estão amortalhadas no sono da indiferença ou da ignorância em torno da realidade existencial.

Há aquelas que se comprazem no letargo, distantes da responsabilidade, enquanto outras optam pelo sono da negligência para não se darem ao esforço da renovação moral.

Dormem milenarmente, e quando se lhes fala sobre a finalidade do despertar, escusam-se, rebelam-se, agridem e não cedem um passo na postura adotada. Estão inconscientes dos objetivos existenciais e preferem permanecer neles. Despertarão, sim, um dia, queiram-no ou não, porquanto é inevitável o fenômeno do crescimento interior na direção de Deus.

Outras, que ainda não se deram conta, por ignorância ou estupidez, já percebem que lhes é impossível continuar dormindo, e predispõem-se a aguardar a doce-enérgica voz, impondo-lhes: – *Desperta e anda!...*[4]

Amélia Rodrigues

Paramirim – BA, 9 de julho 2002.

4. Durante a reunião foram feitas considerações em torno da catalepsia, o que nos motivou a abordar a questão que envolvia a menina, filha de Jairo, já anteriormente estudada no livro *Trigo de Deus*, Capítulo 9, sob a epígrafe "Ela dorme..." (nota da autora espiritual).

3

DOENTES DA ALMA[5]

Depois que Ele entrou no barco os ventos acalmaram...

A tormenta não fora total, mesmo assim as águas do mar ficaram agitadas e aqueles que se encontravam navegando foram tomados de justo receio.

O mar, em verdade, é um grande lago que não pode ser considerado como um dos maiores. O seu volume de águas é menor do que o da Baía da Guanabara, no entanto, em face da ausência de águas na região, era altamente considerado naqueles tempos, e ainda hoje...

Aqueles eram dias de grande efusão de júbilos, de exaltação e de encantamento. Por onde Ele passava, as multidões afluíam refertas de mutilados do corpo e da alma, que recebiam o Seu concurso estelar, recuperando-se e glorificando-O.

5. Mateus, 14: 35 e 36 (nota da autora espiritual).

Os episódios que se sucediam eram ricos de misericórdia e de amor, saturando as vidas com as bênçãos da esperança, do reconforto e da paz.

Há pouco, Ele houvera liberado o endemoninhado gadareno da força ultriz que o afligia. Deixou-lhe a paz ao lado da certeza de que também era filho de Deus, pois que se beneficiara, recuperando a saúde mental, quando tudo se lhe afigurava tragédia e infelicidade.

Logo depois, os companheiros viram-nO andando serenamente sobre as ondas eriçadas do mar, naquela noite de leve tormenta. A princípio, supuseram que se tratava de um fantasma e apavoraram-se até o instante em que Ele os tranquilizou... Também haviam observado a falência da fé de Simão, o amigo que desejara abraçá-lO sobre as águas encrespadas, e depois de dar os primeiros passos ante o vento que açoitava, acovardou-se e temeu, quase afundando, ficando todos comovidos com a Sua magnanimidade, amparando o discípulo temeroso...

Agora, depois que Ele entrou no barco e os ventos acalmaram, restituindo a serenidade ao mar, rumaram no sentido oposto ao lugar de onde vinham, seguindo em direção da pequena Genesaré, que parecia uma imensa pérola engastada nas areias claras da enseada do generoso mar...

Ao chegar, reconhecido por alguns que ali residiam, logo a notícia se propagou com a velocidade do relâmpago e os necessitados acorreram de todo lado. Eram estropiados, cegos, surdos, mudos, leprosos, paralíticos, endemoninhados, todos quantos são considerados como a *borra social*, naturalmente excluídos dos círculos privilegiados, que exibiam as suas torpezas na expectativa de receberem qualquer benefício.

Sem alarde ou exclusão, Ele os recebia com infinita misericórdia, minorando as suas aflições, curando as suas enfermidades desagregadoras.

Após o atendimento, todos O louvavam, sorridentes e emocionados.

Apesar do socorro em quantidade, muitos outros que chegavam, ainda suplicavam-Lhe:

– Deixa-nos tocar, ao menos, a fímbria dos Teus vestidos, e temos a certeza de que nos recuperaremos.

O poder da fé ao lado da disposição feliz de alcançar a renovação ajudava-os na reconquista da saúde.

O magnetismo que d'Ele se exteriorizava reconstruía os tecidos apodrecidos e produzia alteração nos processos de recuperação moral.

As doenças procedem do Espírito endividado, vilmente comprometido com a sua retaguarda em razão dos atos ignóbeis e das torpezas praticadas.

Jamais Ele deixou de amparar aqueles que O buscavam, porque para o mister de amor viera. Tornava-se necessário enunciar-lhes a palavra não verbal, que se traduz como ato de compaixão e socorro imediato.

Nada obstante, os enfermos da alma, logo recuperados dos desgastes físicos, retornavam aos conflitos e comportamentos infelizes, sem aproveitarem a oportunidade de reconstruir a vida ditosa.

Imantados à matéria, os indivíduos de então como os de hoje, apenas pensam nos resultados concretos, evitando assumir o compromisso de realizarem uma radical mudança de conduta mental e moral, estabelecendo novos parâmetros para a autorrealização, aquela que conduz à paz.

Aqueles eram, pois, dias muito difíceis. A mensagem chegara para libertar as criaturas do servilismo às paixões degradantes, do jugo escuso da sordidez...

Jesus, porém, reconhecia que aquele era um estado de infância psicológica em que os homens e mulheres se encontravam, e, por isso, na Sua condição de Educador por excelência, oferecia-lhes conforme o desejavam, porém, assinalava quanto à necessidade de seguirem além na busca do essencial, daqueles valores que não se perdem e têm sabor de imortalidade.

Mesmo hoje, no atual estágio da cultura e da civilização, pululam as multidões que desejam milagres, que anelam por ter resolvidos os seus problemas, e não procuram compreender a necessidade de insculpirem nos refolhos do ser os propósitos de espiritualização e de sublimidade interior.

Considerando o mar humano tumultuado pelas aflições superlativas, torna-se indispensável que a criatura reflexione e permita que Jesus se lhe adentre na alma, para que os ventos agitados das paixões dissolventes se acalmem.

Somente, então, haverá paz e libertação das doenças da alma, encontrando-se, por fim, a saúde integral.

Amélia Rodrigues

Érico Cardoso – BA, 11 de julho 2002.

4

LEPROSO E SAMARITANO[6]

Eram dias de inefável alegria.

A música da esperança cantava no ar todos os poemas de encantamento e de expectativa, inundando os corações de paz e de alegria de viver.

As aragens da Era Nova sopravam gentilmente por toda parte, amenizando a aspereza dos tempos rudes, ora suavizados pela presença do Mestre entre as criaturas.

As jornadas sucediam-se ricas de encantamento e de expectativa.

Aqueles dias mornos de primavera transcorriam como bênçãos que descessem dos Céus à Terra, felicitando os corações.

Nunca houvera antes movimentação humana tão expressiva. As massas esfaimadas de pão, de saúde e de amor acorriam aos lugares mais distantes ou de difícil

6. Lucas, 17: 12 a 19 (nota da autora espiritual).

acesso, a fim de vê-lO, de ouvi-lO, de receber-Lhe as dádivas incomuns da misericórdia.

Jesus sintetizava todas as informações escriturísticas anteriores, que anunciavam o advento do Messias ao planeta sofrido, aos homens e mulheres ansiosos por paz e por motivos para viver.

Não é de estranhar-se que Ele sempre estivesse cercado pelas multidões que O buscavam aflitas, desesperadas.

À semelhança do Sol, todos necessitavam do calor da Sua palavra, da Sua presença, do Seu inefável sentimento de amor, com que se nutriam e se encorajavam para prosseguir na jornada encetada.

A estada em Jerusalém fora rica de bênçãos. A Sua figura incomum cativara muitos corações e apavorara os covardes dominadores do povo.

Religiosos e políticos buscaram-se com ansiedade, a fim de encontrarem um meio de silenciar-Lhe a voz, de anular-Lhe a presença.

O Seu verbo penetrava as mentes e os corações, desatando emoções represadas que marchavam para a morte. E por isso, todos aqueles que O sentiam, experimentavam uma renovação incomum, alentadora.

Jesus jamais se permitia demorar-se onde o ministério não se fizesse de urgência. Logo concluía o labor que estabelecera para aquele período, seguia adiante como rio tranquilo que segue na direção do mar. O Seu era o oceano da misericórdia do Pai Incomparável. Por isso mesmo, Ele deixara Jerusalém com os companheiros e seguira na direção da Galileia, passando pela atormentada Samaria.

As aldeias sucediam-se, pobres e esquecidas pelos poderosos.

O poder temporal centralizava o seu interesse apenas nas cidades-capitais onde estavam as sedes da governança, com absoluto desinteresse pelo povo, pelos lavradores, pescadores, vinhateiros, produtores dos recursos que mantinham o país.

Banqueteavam-se na luxúria sob todos os aspectos considerada. O abuso do poder estabelecera a indiferença pelos que deles dependiam.

A avareza e o desperdício caracterizavam a sua frieza e morbidez.

Como consequência, os pobres estorcegavam nas garras da miséria crescente e tombavam no desfalecimento ou na alucinação.

Aquela era uma das muitas aldeias anônimas e infelizes da sofrida Samaria.

Ali se misturavam as enfermidades irrecuperáveis, os sofrimentos inenarráveis, a indiferença mórbida pela dor do próximo, a que todos se acostumaram, todos que eram, de alguma forma, desventurados também.

A lepra, que ceifava muitas vidas, não atingia apenas os que já eram infelizes socioeconômicos, mas também aqueloutros que eram portadores de chagas morais, embora a situação privilegiada de que desfrutavam no mundo. Não, porém, os havia ali, porquanto o lugar era realmente insignificante.

O Mestre, que amava os infelizes de todos os matizes, optara por passar pela região, desejando diminuir-lhe as exulcerações espirituais, que se manifestavam na organização física ultrajada pelas enfermidades.

Desse modo, logo chegou, de longe, dez leprosos, com as feridas em chaga viva e sabendo do Seu poder, suplicaram-Lhe ajuda aos gritos.

Tomado de infinita compaixão, penetrou-os com o Seu olhar e lhes ordenou que fossem apresentar-se aos sacerdotes e aos responsáveis pela comunidade. E quando eles seguiam ansiosos, as úlceras foram desaparecendo dos tecidos que se recuperaram, provocando-lhes grande, infinito júbilo.

Seguiram, então, adiante, tomados de contentamento incontrolável, menos um, aquele que retornou para agradecer.

O dia salmodiava emoções de felicidade em toda parte, quando ele, *glorificando a Deus em alta voz, prostrou-se com o rosto em terra aos pés de Jesus, dando-Lhe graças.*

Não obstante os discípulos estivessem acostumados com o Amigo, que sempre socorria a dor conforme se Lhe apresentasse, foram tomados também de contentamento. Jesus, porém, interrogou o paciente:

– *Não foram limpos os dez? E os nove, onde estão? Não se achou quem voltasse para dar glória a Deus, senão este estrangeiro?*

Os ingratos, aqueles que se houveram beneficiado, e eram duros de coração, seguiram adiante, sem terem sequer o sentimento de gratidão Àquele que os limpara da cruel enfermidade.

Os ingratos prosseguem em todos os segmentos da sociedade, nos diferentes períodos da Humanidade. Sempre aguardam receber, jamais se preocupam em retribuir, pelo menos em palavras, em hosanas. Sentem-se credores de todo merecimento, e, por isso mesmo, a soberba e a presunção os intoxicam, saindo de um para outro problema, de uma para outra dificuldade.

Sensibilizado com o gesto daquele samaritano, detestado e combatido pelos judeus, Jesus lhe confirmou a cura, determinando:

– *Levanta-te, e vai; a tua fé te salvou.*

O incomparável poder de Jesus confundiria sempre os Seus inimigos, que O considerariam endemoninhado, como se o mal pudesse operar o bem e o adversário se dedicasse a auxiliar aquele a quem deveria perseguir.

Paradoxo do comportamento humano! Na impossibilidade ou na indiferença para crescer, a fim de entender quanto ignora, descobrindo a realidade que se encontra além da forma, da aparência, procura justificativas absurdas para apoiar a sua descrença, as suas mórbidas suspeitas, os seus sentimentos contraditórios.

Ninguém que haja podido agir conforme Jesus, que permanece insuperado.

Aqueles dias, que não mais retornaram, foram o prólogo da Era que se estabelecerá na Terra, em ocasião oportuna, quando os seres humanos se resolverem pelo amor e pela renovação íntima, trabalhando os *metais* da indiferença moral e modelando-os, a fim de que se permeiem de sentimentos enobrecedores.

São encontráveis em todo lugar os ingratos, os déspotas, os perversos. Buscam soluções para os problemas que geram, ficando impermeáveis à renovação moral, que os tornaria receptivos à felicidade. E porque não operam a transformação moral de dentro para fora, mesmo quando ajudados e conduzidos ao caminho do bem, retrocedem às posturas anteriores, permanecendo amargos, insaciáveis, exceto algum samaritano, que dá glória a Deus e segue o roteiro novo da verdade.

Eram dez os leprosos, e um deles era samaritano, o que voltou para agradecer a Jesus, e por isso adquiriu a cura permanente, real…

Amélia Rodrigues

Miami – USA, 26 de fevereiro de 2003.

5

A OVELHA PERDIDA

A paisagem humana fazia-se variegada em razão das diversas culturas, dos muitos comportamentos, das quase infinitas necessidades daqueles que compunham a multidão que seguia Jesus.

Nunca dantes algo acontecera com essas características, com as ruidosas manifestações de ansiedade, de alegria, de esperança de quase todo um povo...

A longa, a multissecular espera por um Messias havia afligido demasiadamente as massas sofredoras, deixando perplexidade e desconforto nos fariseus, nos saduceus, nos escribas, nos sacerdotes, que se encontravam distantes dos compromissos morais e espirituais que lhes diziam respeito.

A ardência das paixões crestara-lhes a alma ao longo dos tempos e o cinismo substituíra-lhes a fé legítima que um dia se enflorescera em alguns. A descrença era generalizada de tal forma que os seus eram comportamentos estranhos à conduta religiosa e somente adstritos às leis severas que elaboraram para afligir-se e para perseguir aqueles que destoavam dos seus códigos, alguns deles, na sua quase maioria, absurdos.

Essas normas não haviam sido feitas para dignificar ou moralizar os indivíduos, mas sim para os punir, matar-lhes os ideais e reduzi-los à condição de animálias obedientes, incapazes de eleger o caminho por onde seguir. Eram antolhos que lhes aplicavam, que limitavam a visão, a fim de que os astutos administradores e intérpretes dos seus textos, conforme o eram, pudessem destacar-se na comunidade, explorando o desconhecimento por parte das suas vítimas, desfrutando de privilégios que aos outros negavam.

Viviam sempre à espreita de qualquer erro ou interpretação diferente em que outrem incidisse, a fim de descarregar a adaga que conduziam sempre pronta a cair sobre a vítima que era eleita, ceifando-lhe a razão de viver.

A astúcia que possuíam esses fiscais daqueles que se destacavam na comunidade era perversa e calculada, filha primogênita da inveja e da insegurança de que se revestiam.

Eram perseguidores inclementes, porque perseguidos em si mesmos pela insatisfação, pelo desprezo que se permitiam, pela inferioridade de que se sentiam objeto.

Jesus não poderia deixar de ser vítima da sua crueza e insistente perseguição.

A fim de O tentar, armavam ciladas cavilosas, propunham questões traiçoeiras, apresentavam problemas cujas soluções eram sempre comprometedoras.

Haviam-se tornado a sombra do Rabi, onde quer que Ele se encontrasse.

O Mestre, que os conhecia, apiedava-se da sua perversidade e ignorância das Leis de Deus, e os atendia com infinita compaixão e sabedoria, desconcertando-os; não, porém, desanimando-os, excepcionalmente uma que outra vez, quando usou de grave energia.

De alguma forma ainda existirão no mundo por muitos séculos esses infelizes-infelicitadores, por cuja truculência intelectual e hipocrisia moral tentarão dificultar a marcha inevitável do progresso.

Os idealistas, os trabalhadores da verdade sofrê-los-ão por muito tempo, porquanto eles constituem o lado negativo da sociedade.

Em sentido oposto, aumentava cada vez mais o prestígio do jovem galileu, cujas palavras eram carregadas de misericórdia e de iluminação, sendo a Sua tolerância incomum e o Seu um amor dantes nunca experienciado.

Ele fascinava pela beleza e porte altivo, sem soberba nem presunção.

Conseguia tornar-se ingênuo e puro como uma criança, enérgico e gentil conforme a circunstância, sem alterar a personalidade grandiosa.

Olhando as massas esmagadas sob mazelas volumosas, assinaladas pelas próprias limitações e asfixiadas no ar morbífico dos interesses subalternos, compreendia-as e dedicava-se a diminuir-lhes as grandes aflições.

Ele sabia que cada qual carregava a cadeia em que se retinha como decorrência da sua falta de integridade moral, em razão dos delitos praticados em algum momento próximo ou remoto, mas os encarcerados nas desditas não tinham condições de entender as razões da própria desgraça. Apiedava-se, portanto, sempre mais, enquanto aumentava o zelo e a ternura por todos.

Para imortalizar o Seu ensinamento e demonstrar a profundeza do Seu amor, além dos atos de misericórdia transformados em socorro, falava-lhes por parábolas, recurso pedagógico resistente ao tempo e às distorções humanas da inteligência, podendo sobreviver a todas as interpolações e caprichos dos futuros narradores, interessados somente em atraí-lO ou detê-lO no cárcere das suas crenças e interesses mesquinhos.

Assim, as pérolas rutilantes dos ensinamentos eram oferecidas em abundância, com simplicidade incomum e com exatidão de conteúdo sempre inalterado.

Porque sempre O vissem entre os infelizes, aqueles que realmente d'Ele precisavam, os fariseus e os escribas murmuravam, dizendo:

– *Este recebe pecadores, e come com eles.*

Necessário recordar-se que os *pecadores* não eram outros, senão os seus próprios irmãos. A censura, portanto, objetivava ferir Aquele que os socorria, já que eles não o faziam, acusando-os de pecados, a fim de os manterem distantes das suas burras recheadas e dos seus lares confortáveis. Abominando-os, desejavam fazer crer que também Deus assim agiria, e fugiam para a hipócrita acomodação de consciência adormecida.

Sem lhes dar a importância que se atribuíam, como ocorre com todo aquele que é fátuo, o Mestre prosseguia no Seu ministério, porém, advertindo-os, narrou:

– Qual de vós é o homem que, possuindo cem ovelhas, e perdendo uma delas, não deixa as noventa e nove no deserto, e não vai após a perdida até que a encontre?

Ele sabia que aquele povo agrícola e pastoril, especialmente naquela região, havia experimentado essa ocorrência que acontece amiúde.

Usando uma linguagem através de imagens conhecidas, haveria probabilidade de permanecer o ensinamento por tempo indeterminado.

Assim, prosseguiu:

E achando-a, põe-na sobre os ombros, cheio de júbilo, e chegando a casa, reúne os amigos e vizinhos e lhes diz:

– Alegrai-vos comigo, porque achei a minha ovelha que se havia perdido.

A beleza oculta na simplicidade da narrativa comovia os ouvintes e todos exultavam. Grande número daqueles ouvintes havia experimentado essa incomum alegria, recordando-se com emoção.

É sempre razão de felicidade encontrar-se algo que se perdeu, especialmente se é amado, se tem vida, se faz parte da vida.

Nesse momento, Ele sorri jovial, e conclui a parábola:

– Digo-vos que assim haverá maior alegria no céu por um pecador que se arrepende, do que por noventa e nove justos que não necessitam de arrependimento.

Os hipócritas receberam a bordoada de que necessitavam para despertar da incúria e dos descalabros que se permitiam.

É certo que o médico existe porque pululam as enfermidades, e o remédio é o recurso especializado para facultar o retorno da saúde.

Como, então, combater-se o doente e não a doença, o desfalecente e não as causas que a geram? Somente a crueldade possui mecanismo de razão para adotar comportamento de tal natureza, ou o despeito frio e calculado, com sórdidos objetivos de perturbação.

Jesus sempre pairava acima das multidões que O buscavam, embora descesse até todos e até cada um, bem como àqueles que O anatematizavam, fossilizando no lodo da ignorância e da estultice.

Sempre mergulhava no rumo dos infelizes sem mesclar-se com eles e repartia Sua sabedoria com os néscios que se supunham inteligentes e poderosos, mantendo-se inalterável, o que os desconcertava.

Ainda hoje prossegue direcionando o Seu amor a fim de encontrar as ovelhas tresmalhadas que transitam sem rumo pelos tortuosos caminhos do mundo de testemunhos e de reparação, buscando erguê-las, sem reprimendas nem exigências, propondo-lhes somente a renovação interior, a integração no espírito do bem, a fim de que se libertem da rebeldia e das torpes necessidades a que se aferram.

Amélia Rodrigues

Viena – Áustria, 13 de março de 2003.

6

OS ADVERSÁRIOS CRUÉIS

Jamais silenciaria a balada incomparável do Sermão da Montanha.

As dúlcidas vibrações que emanaram do Mestre, à medida que cantava o poema das bem-aventuranças, impregnaram a Natureza para todo o sempre e envolveram os ouvintes emocionados, preparando-os para as refregas do futuro.

Nunca mais seria ouvida musicalidade similar. Divisor das águas e dos tempos, a Canção de Esperança abriu perspectivas dantes jamais conhecidas para entender-se o Reino de Deus.

Até então, os conceitos pragmáticos da Lei eram constituídos pela violência e impiedade, entretecidos com os interesses malsãos da criatura humana, colocando de relevo o poder da força, a presunção, a aparência, a habilidade sórdida das conquistas imediatas.

Jesus, naquele momento, alterou em definitivo a conceituação de felicidade, estabelecendo os parâmetros por meio dos quais seria possível consegui-la.

Numa sociedade imediatista, assinalada pela hipocrisia e pela audácia do poder temporal, seria temeridade inverter a ordem conceitual a respeito de quem merece amor e é digno de ser considerado como bem-aventurado.

As multidões que O ouviram permaneceram inebriadas, porque, além de Ele haver exalçado a humildade, a pobreza em espírito, a fidelidade, o apoio à Justiça e à Verdade, também propusera o novo código que deveria viger no porvir da Humanidade.

O amor deveria ocupar lugar de destaque nos códigos do futuro, mas não o amor interesseiro e servil, ou o direcionado àqueles que o merecem e retribuem com afeição correspondente, mas sim, quando oferecido aos que se fizeram difíceis de ser amados, aos ingratos, aos egoístas, porque esses são realmente os necessitados do sentimento libertador, embora não se deem conta disso.

Mesclando-se com as vibrações dulcíssimas da Mensagem, as virações que chegavam do Mar da Galileia acariciavam os magotes daqueles que retornavam aos seus lares após os momentos incomuns da Canção que ouviram.

Haviam sido testemunhas da elaboração da Carta Magna para a Humanidade de todos os tempos porvindouros.

Lentamente, sob a carícia da noite bordada de astros luminosos, houve um silêncio que permaneceu como símbolo daquela ocasião.

Jesus e os discípulos também desceram a Cafarnaum, onde prosseguiriam com o ministério libertador. Agora não haveria mais quietude, nem cautela. Era necessário dizer aos ouvidos dos íntimos o que teriam de repetir em altos brados a todas as gentes: chegara a hora de preparar o Reino de Deus nos corações. Não havia alternativa.

Ao entardecer do dia seguinte, entre aqueles que Lhe buscaram o concurso orientador, um homem de aspecto varonil e nobre se acercou, rogando-Lhe uma entrevista.

O Senhor, que se encontrava à sombra de vetusta árvore que se espraiava sobre as areias marrons, coalhadas de seixos e conchas, recebeu o desconhecido com bonomia e compaixão, conforme o fazia em relação a todos que d'Ele se acercavam.

Após a saudação convencional e sem maior delonga, o estranho identificou-se:

– *Chamo-me Bartolomeu bar Eliazar e resido em Dalmanuta, pequena cidade que se localiza também às margens deste mesmo mar...*

Silenciou e, após pigarrear com timidez, prosseguiu:

– *Ouvi falar da vossa missão no monte, quando estabelecestes os paradigmas de ordem moral para a conquista do Reino Eterno. Não posso negar que jamais ouvi alguém dizer o que dissestes, falar como falastes. Sou cultor das belas letras clássicas e das tradições de Israel, trabalhando-me para compreender a finalidade existencial da vida. Ninguém, porém, me penetrou tão profundamente o ser como vós o fizestes. Continuo ouvindo sem parar o vosso verbo brando e sábio, cantando-me na acústica da alma e delineando-me roteiros fascinantes.*

Novamente aquietou-se, mas estimulado pela doce expressão de ternura do Mestre, continuou:

– Atormento-me, procurando identificar quais são os piores adversários do ser humano. Tenho agora o estatuto de conduta conforme apresentado no vosso discurso. Onde se travará a terrível batalha contra esses inimigos e quais as armas de que poderemos dispor para a luta?

– Bartolomeu, rogo ao Pai que te abençoe as conquistas e as expectativas que acalentas. Interrogas quais são os maiores e mais perversos adversários do ser humano, e como, onde combatê-los?! Eu te direi que todos eles se encontram no imo do ser e trabalham ali pela sua infelicidade. Todos os indivíduos apontam-nos fora deles mesmos, supondo que as aflições que produzem vêm do exterior, de outras pessoas, e, por consequência, tornam-se inamistosos, rebeldes, vingativos. Isso ocorre, porém, porque vigem nas paisagens da alma esses insaciáveis perturbadores da paz e de todos os seres humanos. Escondendo-se e mascarando-se, mudam de atitude e a forma de crueldade, permanecendo inatingidos no seu reino secreto, que é o coração. O mais impiedoso entre todos é o egoísmo, monstro devorador das alegrias alheias, que termina por autodestruir-se também, quando já tem a quem se impor. É o responsável pela existência de todos os demais que lhe fazem corte.

Logo depois, apresenta-se voluptuoso, com privilégios e honrarias que não se fazem justificáveis. Da mesma forma, a arrogância que humilha os demais e se considera digna de destaque, constitui arbitrário déspota que espalha desditas e sofrimentos contínuos.

Simultaneamente, os apegos doentios a pessoas e a coisas, propiciando à avareza amealhar tudo quanto é possível de reter, em detrimento dos demais, esmagados como se encontram pelas necessidades prementes. O avaro é prepotente e vingador, caracterizando-se pelo despotismo e pela indiferença em relação ao seu próximo.

O Mestre silenciou por um pouco, dando ensejo a que o interessado absorvesse o ensinamento, depois do que, deu curso à resposta:

– *A inveja, a maledicência, o ódio, o ciúme, a ambição desmedida, o ressentimento são tiranos da alma que impedem o avanço do ser pela estrada da evolução, gerando tormentos inomináveis. Porque originários do mundo interno, a luta para vencê-los deve ser travada no campo da consciência, mediante a transformação das tendências inferiores e dos sentimentos para a adoção da conduta rica de misericórdia, de compaixão, de entendimento fraternal, de caridade...*

O homem e a mulher que pretendem ser realmente felizes e anelam por conquistar a Terra, devem superar esses algozes impenitentes que vivem no mundo íntimo, e que são desafiadores e renitentes.

Não disse mais nada. Aquietou-se.

A brisa marinha cantava nos braços do arvoredo.

Bartolomeu compreendeu quais eram os grandes adversários do ser humano, onde se homiziavam e como poderiam e deveriam ser combatidos.

A noite prosseguiu nos seus anseios pelo amanhecer.

O Mestre levantou-se e voltou à intimidade doméstica onde O aguardavam outros necessitados de orientação.

Até hoje o Código Soberano exarado no monte em frente ao Mar da Galileia permanece como diretriz de segurança para todos aqueles que anelam pela felicidade real.

Amélia Rodrigues

Érico Cardoso – BA, 3 de julho de 2003.

7

MORDOMOS, E NÃO DONOS[7]

A incomparável balada rica de esperanças e de alegrias espraiava-se pelas terras distantes umas das outras, anunciando o Reino de Deus que logo mais se instalaria na Terra.

Vivia-se sob a escravidão política de Roma, ultrajante e destrutiva, da Lei judaica, sempre injusta em relação aos desafortunados do mundo, a insidiosa dominação dos rabinos, ambiciosos e insaciáveis, bem como sob o jugo da pobreza, das enfermidades, do abandono dos governantes...

O ser humano encontrava-se reduzido à mínima condição de alimária de carga, utilizado apenas quando submetido à sujeição dos poderosos.

7.Lucas, 16: 1 a 14 (nota da autora espiritual).

Os campos despovoados, as searas abandonadas, as cidades regurgitantes de miseráveis, as praças abarrotadas de desocupados, de enfermos, de mutilados...

Os desvios de comportamento emocional e mental avolumavam-se em face da pressão dos sofrimentos diversos, misturando-se com as obsessões crucificadoras, formando uma sinfonia patética, ensurdecedora em todo lugar.

Na região da Galileia, porém, ante a placidez do mar, quebrada somente pelas tormentas periódicas, respirava-se ingenuidade, resignação e alguma fraternidade.

Ocorre que a pobreza desvestida de revolta e sem as angústias decorrentes das ansiedades de poder e de glória une os seus membros em relativa amizade, porque não se tendo o que invejar, nem competir, nem anelar, surge um clima de identificação de necessidades e de compreensão, que a todos atende no mesmo nível de relativa paz.

Foi, nesse cenário de gentes simples e desataviadas, que a sinfonia do Evangelho esplendeu em toda a sua majestade e beleza.

Entre pescadores que amavam a labuta do mar, vinhateiros que se afadigavam pelo cultivo da videira, curtidores de lã animal afeiçoados à fabricação tosca de tecidos, Ele encontrou o coração do povo que abriu a sua acústica para ouvir a melodia da esperança.

Israel estava cansado de rabis e profetas, afinal de contas, mais enfáticos e orgulhosos, guerreiros e presunçosos, que irmãos da plebe e companheiros dos sofredores.

Periodicamente, apareciam tonitruantes, belicosos, ameaçadores, exóticos, conclamando o povo à revolta, ao ódio, ao desforço pela miséria secularmente sofrida, sem oportunidade de dignificação.

Ele, não! Belo como o irradiar da manhã e puro como uma chama ardente, era afável e companheiro, misturando-se com os deserdados e com eles convivendo sem parecer-lhes melhor ou superior.

A Sua voz, embora forte em determinados momentos, era macia e quente aos ouvidos do desespero, apaziguando-o, o que permitia que a Sua palavra penetrasse qual música divina e se fixasse como unguento perfumado nos refolhos das almas.

Assim, conforme seria de esperar-se, a pouco e pouco foi se tornando conhecido e amado – esperança vigorosa daqueles que haviam perdido tudo, menos a identidade com Deus!

Não poucas vezes, contemplando as massas sedentas de paz e necessitadas de pão, Ele as induzia à confiança irrestrita em Deus, que veste de incomparáveis cores as aves dos céus e os lírios do campo, nutrindo de alimentos os primeiros e vitalizando os outros, a fim de que perfumem o ar. E o Seu verbo encorajava-as ao prosseguimento das lutas em que se afadigavam.

Apesar disso, era necessário insculpir nos seus corações os delineamentos do Reino de Deus, de modo que pudessem enfrentar as vicissitudes com fortaleza, superando-as e preparando-se para o futuro após a dissolução das formas orgânicas.

A arte insuperável de narrar história era um dos recursos pedagógicos mais enriquecedores de que se podia dispor, e todos os grandes pensadores utilizaram-se desse admirável mecanismo para expressar o seu pensamento.

Ele também assim o fez.

Ante as inseguranças e problemáticas do entendimento da ética-moral e dos deveres a todos impostos pela vida, Ele recorria às imagens vigorosas do cotidiano para que pudessem entender e vivenciar o mais valioso recurso de dignificação humana.

...E as parábolas espocavam dos Seus lábios como flores do campo, naturais e formosas.

Uma delas informava que se tratava de um homem rico, que possuía um mordomo, que foi acusado de estar utilizando em benefício próprio bens que não lhe pertenciam.

E porque tudo indicasse a realidade infeliz da sua conduta, o amo chamou-o e pediu-lhe que prestasse contas da sua mordomia, porquanto já não tinha condições de merecer fé nem respeito.

Surpreendido pela atitude severa do amo, o infiel começou a conjecturar a respeito do futuro que lhe estava reservado, constatando não possuir recursos para o exercício de outra função, que lhe exigisse esforço e luta. Então, desonesto como era, convidou um dos devedores do seu patrão e perguntou-lhe:

– *Quanto deves ao meu senhor?*

Informado que era cem cados de azeite, propôs-lhe que anotasse apenas metade, comprometendo-se a pagá-los.

O mesmo fez em relação a outro devedor, que informou ser cem coros de trigo, indicando-lhe que anotasse apenas oitenta e não deixasse de pagá-los.

Com essa atitude, o sagaz agradou aos devedores, que lhe ficaram amigos, mas também poupou o seu senhor de grandes prejuízos, garantindo-lhe o recebimento de parte das dívidas.

Em face dessa astúcia, o amo também o estimou, porque essa atitude era compatível com aqueles outros desonestos que se comportavam da mesma maneira, muito diferente dos *filhos da luz*.

Após silenciar por um pouco, a fim de que os ouvintes pudessem captar o conteúdo do ensinamento, Ele arrematou enfático:

– *Granjeai amigos por meio das riquezas da injustiça; para que, quando estas vos faltarem, vos recebam eles nos tabernáculos eternos.*

Quem é fiel no pouco, também é fiel no muito; quem é injusto no pouco, também é injusto no muito.

Se, pois, nas riquezas injustas não fostes fiéis, quem vos confiará as verdadeiras?

E se no alheio não fostes fiéis, quem vos dará o que é vosso?

Ele fez uma grande pausa, perpassando o olhar sobre a massa em meditação, logo prosseguindo:

– *Nenhum servo pode servir dois senhores; porque ou há de odiar a um e amar ao outro, ou há de dedicar-se a um e desprezar o outro. Não podeis servir a Deus e às riquezas.*

Os fariseus, que eram gananciosos, ouviam todas essas coisas e zombavam dele.

As riquezas da injustiça constituem os recursos que a sagacidade consegue, amealhando para outrem enquanto acumula também para si.

Impossibilitado de ser honrado no cumprimento dos deveres que lhe dizem respeito, o indivíduo utiliza-se dos bens que pode reunir, compensando a própria astúcia com os valores que supõe pertencer-lhe.

Esse comportamento reserva-lhe meios de sobrevivência para o futuro, mas não lhe granjeia a paz de consciência, pelo reconhecer da falibilidade moral e defecção espiritual.

Esse treinamento da honra ao lado dos pequenos valores, de alguma forma prepara-o para as grandes conquistas de que se verá a braços, a serviço do Senhor da Vinha, Aquele que é a Justiça e Soberania.

Torna-se indispensável aprender a servi-lO mediante os bens da avareza, da transitoriedade, do comércio terreno, no qual a maioria se equivoca, dando-Lhe prioridade e significação.

A sua posição enfrenta, então, duas alternativas, a que diz respeito ao mundo imediato e aquela que se refere à transcendência.

Quem deseje a eterna, certamente terá que despojar-se da ambição enganosa dos valores transitórios, porque em serviço da autoiluminação, necessita despojar-se de toda sombra interior, enquanto caminha pela senda humana.

Mordomos, todos o somos dos haveres divinos, que nos cumpre prestar contas com fidelidade, a fim de sermos credores da confiança em relação aos eternos recursos da Paternidade Celeste.

Amélia Rodrigues

Paramirim – BA, 21 de junho de 2004.

8

A MENSAGEM INTERROMPIDA

Àquela hora, o mar se encontrava como um espelho transparente que refletia o céu profundo, de azul-turquesa, sem nuvem alguma.

Muito suave brisa corria sobre as suas águas tranquilas em quase calmaria.

Poucas velas brancas marchetavam o cenário grandioso.

Nas praias, a movimentação começava junto aos velhos barcos cansados de deslizar sobre o leito aquoso, que favorecia com alimento as cidades circunvizinhas.

Piscoso e romanesco, aquele mar gentil era a fonte produtora de vida para milhares de pessoas que dele dependiam.

Aldeias e cidades foram erguidas à sua orla, a fim de beneficiar-se dos ventos generosos nos dias ardentes de verão.

Tudo ali parecia programado com sabedoria e generosidade.

As aldeias sucediam-se com álacre mobilidade, separadas por pequenos trechos de terras, plantadas umas enquanto outras permaneciam aguardando arroteamento.

Não eram searas ricas de grãos nem pastos de abundante alimento para os animais. Tratava-se de montículos e depressões serpenteantes que albergavam choupanas e casas modestas onde se refugiavam as necessidades e os sofrimentos a que os seus habitantes se houveram acostumado.

Naquela região não havia lugar para tricas farisaicas, nem para debates políticos injustificáveis.

Jerusalém distante, representava a sede do poder e a cidade onde se erguia o Templo de Salomão, orgulho de todo judeu, ignorante ou sábio, poderoso ou simplório.

As lições em torno da fé eram ali repetidas automaticamente desde a infância, muitas vezes sem que fosse conhecido realmente o conteúdo.

Tudo transpirava simplicidade, na acomodação fatalista daqueles que não têm alternativa senão submeter-se ao quotidiano repetitivo, sem ocorrências que interessem.

O parco alimento, a pobre indumentária feita à mão, na roca doméstica, as expectativas em torno das variações climáticas, uma e outra ansiedade, logo ultrapassada, e eis a paisagem humana emoldurada pela Natureza quase virgem.

Aqueles eram, portanto, acontecimentos inusitados, chocantes, que deslumbravam.

Ninguém antes, praticamente, jamais se recordara daqueles galileus tidos por ignorantes e destituídos de consideração.

Muitas vezes, eram ironizados nas outras tetrarquias e de tal forma acostumaram-se com o seu destino que, por sua vez, desprezavam os seus antagonistas, que eram tidos por inimigos sociais.

A presença de Jesus foi semelhante à da luz, quando submete a treva, dominadora e fascinante.

Mesmo quem não tivera contato direto com Ele sentira-O de forma especial, qual se percebesse um perfume delicado e penetrante, desconhecendo a sua origem e procedência.

Sucede que a psicosfera do planeta se alterara e a da região tornara-se superior em face da Sua existência.

De um para outro momento, como o som forte do trovão, a Sua mensagem passou a ser comentada, os Seus feitos tornaram-se disputados, a Sua voz fez-se guia das necessidades gerais e, de toda parte, as multidões acorriam esfaimadas de paz e ansiosas por saúde.

A caravana ininterrupta dos sofredores de todo jaez aumentava e, no começo, às margens do mar amigo Ele falava, dali iniciando a ofensiva libertadora de consciências que anelavam por outra realidade. Logo depois, seria Ele quem seguiria na busca do sofrimento, visitando as pequenas povoações e as cidades agitadas...

Cumpriam-se, por fim, as profecias que anunciavam o Messias e a Era da transformação.

Os infelizes podiam participar do Novo Reino, os abandonados tinham oportunidade de ser reencontrados, os padecentes experimentariam a reabilitação, os deserdados da Terra iriam receber o legado dos Céus...

Era natural, portanto, que incomum alegria tomasse conta das massas desprezadas, que nunca haviam experimentado qualquer distinção, exceto o repúdio e a total indiferença da sociedade perversa.

Ele viera exatamente para esses, que ninguém respeitava, mas que também eram filhos de Deus, que embora desdenhados, participavam do rebanho de Israel, à semelhança de outros que, não obstante estivessem fora da grei elegida, igualmente mereciam ser convidados para o imenso banquete que Ele oferecia a quantos se Lhe acercassem.

Os meses transcorriam sinfônicos, sucessivos, ricos de novidades por onde Ele passava.

Já não era desconhecido. A Sua doce e enérgica voz havia retumbado em todo o país. Os Seus feitos atemorizaram os hipócritas, que embora relutantes, n'Ele reconheciam o Enviado, que amavam e detestavam.

O Seu poder arrebanhara todos quantos tiveram ensejo de ouvi-lO, ou simplesmente de vê-lO, a distância que fosse.

Ninguém Lhe resistia à atração sublime, isto é, ninguém ficava-Lhe indiferente ao magnetismo que exteriorizava: amavam-nO ou detestavam-nO.

À medida que se aproximavam os acontecimentos culminantes, a Sua mensagem crescia e fascinava as mentes e os corações.

As parábolas eram prenhes de lições especiais. Os feitos eram perturbadores. Os ditos penetravam os refolhos das almas.

Um homem era pai de dois filhos – Ele comentara. – *Um era gentil, dedicado e fiel, sempre cuidadoso com o genitor. O outro era soberbo, ingrato, explorador, indiferente ao destino dos seus familiares.*

Quando a morte arrebatou o progenitor, o filho mais amado foi menos contemplado, enquanto o outro recebeu maior soma de consideração.

Isto, porque o justo e honesto já se encontrava aquinhoado com o tesouro da honradez e da consciência tranquila, enquanto o outro, infeliz e dilapidador, embora perdido, era quem necessitava de oportunidade para a reabilitação.

Assim faz o pastor, deixando em risco as ovelhas mansas, a fim de resgatar a rebelde que fugiu do rebanho.

Uma dedicada mãe de dois filhos, sabendo que havia chegado o Reino dos Céus *à Terra e que os seus descendentes haviam sido convidados para a sua instalação, correu precípite e solicitou ao Príncipe anunciador da notícia que, no momento do triunfo, colocasse à sua direita e à sua esquerda aqueles que eram retalhos do seu coração.*

Ele a ouviu generosamente e propôs, por Sua vez:

– *Observemos se eles sorverão a minha taça de amargura quando a hora chegar. Assim mesmo, não me cabe eleger quem se sentará junto a mim, senão ao Rei que governa o Universo.*

Um jovem, que por Ele se deixou fascinar, desejou segui-lO, mas tinha obrigação de sepultar o próprio pai. Na dúvida do que fazer primeiro, solicitou-Lhe permissão para ir atender ao dever filial, que parecia mais justo.

Ele, porém, respondeu que o seu era um reino de vivos e que os mortos, aqueles que se cadaverizavam nas paixões e nos interesses do imediatismo, esses sim, deveriam sepultar os outros, que lhes eram semelhantes.

E o jovem não O seguiu, porque era também um cadáver que respirava.

Um outro queria participar da revolução do amor. Mas era jovem e ambicioso. Fazia tempo que planejava vencer os romanos em uma corrida que teria lugar no dia seguinte. Necessitava atender ao ideal pelo qual vivia, mas agora encontrara uma razão maior para existir.

Sem saber o que fazer, propôs-se a conquistar as duas ambições: vencer na corrida e dedicar-se à construção da Nova Era.

Ele não concordou, porque ninguém serve bem a dois senhores, sendo constrangido a escolher aquele que melhor lhe atenda.

O jovem foi, aturdido, em dúvida, optando pela primeira aspiração. E não pôde retornar para atender a segunda, porque o anjo da morte arrebatou-o em plena área da corrida...

Ele narrou, comovido:

– Eu tenho muitas coisas ainda para dizer-vos, mas não as podeis suportar, não tendes condições por enquanto.

No porvir, os meus ditos e os meus feitos serão confundidos, os meus sentimentos serão apresentados de maneira insidiosa e interesseira, dificultando o entendimento da minha vida e do meu amor. Mas eu não vos deixarei órfãos e intercederei junto a meu Pai em vosso favor. A Mensagem ficará interrompida até que chegue o Consolador...

Uma mulher equivocada sentiu-Lhe o coração amoroso.

Havia perdido tudo no jogo da ilusão, sem que houvesse malbaratado a esperança.

Candidatou-se a segui-lO e optou pela renúncia, pelo sacrifício, sofrendo todo tipo de humilhação.

No entanto, após a Sua morte e sepultamento, foi a ela a quem primeiro Ele apareceu.

Assim, por longos séculos a Sua Mensagem ficou incompreendida, subalterna às dominações dos poderosos de um momento e derrotados dos tempos, até que novamente esplendeu, como naqueles dias, não mais às margens de um mar ou no murmúrio das aldeias, mas numa sinfonia incomparável que toma conta de toda a Terra lentamente, fincando as bases do Reino nos corações para sempre.

Chegou o *Consolador!*

Amélia Rodrigues

Paramirim – BA, 26 de julho de 2004.

9

ENSINA-NOS A AMAR

A sinfonia de bênçãos pairava no ar, mesmo após encerrada a sua execução.

O Sermão da Montanha jamais silenciaria a sublime voz do Cantor Celeste, musicando a Humanidade e direcionando-lhe os passos no rumo da perfeição.

Jamais alguém dissera ditos indizíveis como aqueles.

A ostentação e o vício sempre haviam elegido o poder e a dominação, a fim de permanecerem em triunfo, o que era comum e repetitivo.

A ilusão dourada, em todos os tempos, havia entorpecido o entendimento das pessoas de tal forma, que felicidade e ambição arrimavam-se uma à outra na façanha de conquistar o maior número de aficionados.

A inferioridade latente no ser humano permanecia em franco desenvolvimento, impedindo o surgimento das faculdades nobres, em face das concepções equivocadas em torno da existência terrestre.

As diretrizes religiosas que deveriam libertar as mentes e os sentimentos jaziam asfixiadas nas fórmulas e extravagâncias dos cultos externos que a hipocrisia dos sacerdotes sabia preservar.

As massas volumosas e sofredoras jornadeavam a esmo, sem roteiro nem conhecimento do próprio destino.

Submetiam-se, inermes, aos poderosos, assimilando-lhes as torpezas e mesquinharias, imitando-lhes as condutas reprocháveis.

O predomínio do instinto criara a ética do vitorioso sobre o vencido, do senhor sobre o escravo, mais confundindo a conduta moral subserviente e interesseira a serviço do dominador.

Jesus, porém, veio, e fez-se o Libertador.

Entoou o hino da fraternidade, unindo todos os seres humanos, enquanto abraçava o sofrimento em rudes triunfos em toda parte, esmagando uns, submetendo outros, vitimando a sociedade...

Arrebentou os grilhões da hipocrisia e desnudou a crueldade disfarçada como justiça infeliz, estabelecida pela cegueira da força.

Inspirou ternura e inaugurou o período desconhecido do amor.

Acostumadas à dureza da Lei antiga e do Decálogo, as pessoas estorcegavam sob as chibatadas da impiedade severa para os pobres e os fracos, benigna para os que se refestelavam na abundância e no poder de mentira.

Enquanto Ele, porém, sofria a suspeita dos maus e a desconfiança dos hipócritas, as Suas ações confirmavam-Lhe a ascendência moral e a procedência espiritual.

Esmagados pela miséria de toda sorte – moral, econômica, social, orgânica, espiritual –, experimentaram a grandeza dos Seus recursos ante as enfermidades, as provações e expiações mais rudes que se Lhe submetiam ao comando, modificando-se totalmente.

Mesmo os Espíritos desditosos e perversos, ignorantes e déspotas, despertavam ante o Seu verbo sublime, obedecendo-Lhe as determinações libertadoras e felizes.

Apesar de todos esses valores, foi, porém, naquele inolvidável sermão que Ele reverteu a ordem vigente, quando estabeleceu o esquema dos reais significados que transcenderam ao estabelecido.

Propôs, então, a mudança das hierarquias poderosas e vigentes, qualificando os indivíduos pelo seu despojamento e não pelas cargas de coisas nenhumas, pela sua realidade moral e não em razão da posição social temporária, tendo em vista o interior desconhecido em detrimento do exterior tumultuado...

Naquele momento, que nunca mais voltaria a acontecer, no pentagrama que se fez sinfonia, as notas musicais foram diferentes: *os pobres em espírito, os puros e simples de coração, os misericordiosos, os humildes e humilhados, os perseguidos por amor da Justiça, os esquecidos do mundo...*

Foi uma explosão de bênçãos que aturdiu, logo cedendo lugar aos júbilos inefáveis do coração, que jamais haviam experimentado anteriormente.

Foi-se a nuvem pressaga de desgraças, surgindo a claridade da esperança em forma de incomparável alegria.

Jamais será esquecido aquele dia, nunca mais se repetirá o que aconteceu naquelas horas, fazendo que o mundo e as criaturas se tornassem diferentes, direcionando os destinos em outro rumo, modificando as expectativas em face das promessas dantes nunca apresentadas.

A multidão que a recebeu – a música penetrante que a invadiu – saiu inebriada e somente no futuro, num futuro mais distante repetiria as estrofes, os cânticos imortais.

Reencarnar-se-iam muitas vezes, aquelas testemunhas, até que o alimento absorvido, nutriente, se exteriorizasse, ressurgindo nas eras sucessivas, felicitando os demais indivíduos que ali não estiveram presentes.

...E até hoje, aquela melodia balsâmica e reconfortante, vem alcançando os ouvidos cerrados dos homens e das mulheres fascinados pela mentira e pela ilusão, tentando despertá-los.

Em a noite, porém, daquele dia incomum, quando o zimbório celeste luzia de astros diamantinos e a brisa carreava os perfumes da Natureza em festa, fixando os ditos nos arcanos do tempo, num momento em que o Mestre apresentava-se aureolado pela incomum ternura e compaixão pelas criaturas, Simão Pedro, emocionado e hesitante, acercou-se-Lhe, e interrogou-O:

– *Amigo, na minha modesta existência e pobreza moral de* homem do mar, *jamais imaginei quanto grandioso é o amor.*

As necessidades do imediato e constante ganha-pão, a falta de conhecimento e de tempo para reflexões, faziam que me bastassem os usos legais e as ações sem vida pertencentes às recomendações da sinagoga, que raramente visito...

A criatura humana sempre significou para mim o seu próprio destino de poderosa ou desgraçada, conforme determinada pelo Pai Criador.

Avesso às tricas e às disputas, somente considerei importante o cumprimento dos deveres estabelecidos... No entanto, diante das lamentáveis maldades e traições, enfrentando competições perversas de outros companheiros ingratos e as calúnias de inimigos gratuitos, sou dominado pela inveja dos ricos e felizes enquanto a mágoa decorrente das perseguições sofridas me leva à animosidade e ao desejo de desforço...

Silenciou, por um pouco, como que envergonhado da própria confissão, da constatação da pequenez moral, logo prosseguindo:

– Desde quando surgiste na minha e na vida dos amigos – Sol em noite escura e tormentosa! –, alteraram-se-me os sentimentos, e hoje, ante a magnitude das Tuas lições, acontece-me uma revolução interior musicada pela felicidade que desconhecia, enquanto uma dor pungente também me invade, por não saber o que ou como fazer a partir de agora.

Ajuda-me, dizendo-me qual o primeiro passo que deverei dar na conquista do novo caminho.

O Amigo Incomparável relanceou o dúlcido olhar pelo *arquipélago* de estrelas e deteve-o na face do pescador orvalhada por lágrimas e suores de emoção, logo lhe respondendo:

– Ama, Simão, em qualquer circunstância e situação, por mais adversas se te apresentem. O amor é o primeiro e o último passo de quem busca a perfeição e ruma na direção do Excelso Pai.

Nunca te detenhas no exame do mal de qualquer procedência que gera sombras, perturbando-te. Nem acuses a sombra, que é portadora de peculiar magia, porque a sombra é a luz oculta. Isto é: somente quando ela triunfa é que surge a claridade que estava escondida noutra claridade maior...

Observa as constelações cintilantes e constatarás que somente as vês por causa da sombra dominante, embora lá sempre estivessem mesmo durante o dia.

De forma equivalente, o mal é a ausência do bem, e a sua sombra é o próprio bem. Os maus, todos aqueles que aos outros crucificam, que aos demais caluniam e perseguem, estão enfermos e, em vez do ressentimento ou do ódio que inspiram, necessitam do remédio da compaixão, essa formosa filha do amor.

Ademais, guarda na mente e no coração que tudo quanto te acontecer tem uma razão de ser, embora não o saibas, não te exaltando no triunfo nem te desesperando na dor...

Preserva a tua paz no vasilhame da consciência honrada, mesmo quando erres e te excrucies, porque ela é a base para a tua felicidade futura, mediante a tranquilidade dos teus sentimentos nobres.

Nunca revides mal por mal, confiando em nosso Pai e entregando-te a Ele sem reservas nem receios, porque Ele cuidará de ti, investindo os mais preciosos recursos da inspiração e dando-te resistência para os enfrentamentos necessários ao teu processo de evolução.

No silêncio musicado pelas onomatopeias da noite festiva, que se fez natural, o discípulo, visivelmente emocionado e com a voz embargada, explicitou:

– *Ensina-nos a amar, a mim e a todos aqueles que Te seguimos.*

Com inefável ternura, Ele expôs:

– *Perdoa sempre e sempre a tudo e a todos, até mesmo àquilo e àquele que aparentemente não mereçam perdão. O braço da Divina Justiça utiliza-se, às vezes, da aparente injustiça para corrigir e educar os infratores das Soberanas Leis. Ninguém vive no corpo apenas uma vez. E os delitos que foram na carne praticados, hoje ou mais tarde nela serão resgatados.*

Nunca te permitas dúvidas a respeito da Lei de Causa e Efeito. Conforme a tua semeadura, assim se te apresentará a colheita. Ninguém passa no mundo indene ao sofrimento no seu processo de depuração das tendências inferiores, lapidando as arestas morais e espirituais do ser humano.

Desse modo, tudo possui uma razão própria de ser. Quanto a ti, porém, faze sempre o bem, o melhor que estiver ao teu alcance, não esperando aplauso, nem temendo reproche.

...E já estarás amando...

O luar espraiava sobre os montes e toda a paisagem o seu delicado véu, realçando o brilho dos demais astros.

Rompendo o silêncio quase mágico do instante inolvidável, Jesus concluiu:

– *Bem-aventurado sejas, Simão, filho de Jonas, quando passares a amar!*

A excelsa orquestração daquele dia alcança estes dias, repetindo a eloquência do amor, ao convidar: Bem-aventurados, pois, sejam todos aqueles que se apequenam, que se humilham, que preservam puro o coração, que se tornam misericordiosos, para que Jesus ressurja e os tome nos braços conduzindo-os a Deus.

Amélia Rodrigues

Paramirim – BA, 23 de julho de 2005.

10

DIAS SANTIFICADOS

Sem qualquer dúvida, a revolução da Boa-nova fazia-se vitoriosa, porquanto alcançava as diferentes latitudes da região elegida.

Aguardada secularmente, em face da revelação profética, ao chegar não encontrara solo propiciatório à sua expansão, por encontrar-se a sociedade vitimada pelos vícios ancestrais e pelo parasitismo a que fora atirada pela subjugação ao Império romano e à dureza da religião arbitrária e despótica.

O povo deixara de lutar pelos seus direitos, sucumbindo cada vez mais sob as condições miseráveis, procurando viver cada momento, sem esperança de um próximo.

As classes privilegiadas encontravam-se distantes das massas que as odiavam, enquanto eram também odiadas; não tinham qualquer interesse que fosse além dos impositivos egoísticos a que se entregavam.

Israel encontrava-se distante de ser o povo que se fizera eleito por presunção, experimentando as sevícias morais, políticas e sociais da sua devastação espiritual.

A ausência dos antigos e nobres condutores, que constituíam exemplos e comandos credores de respeito, contribuía para a desorganização que padecia: falta de líderes, de profetas, de missionários... Somente permaneciam a desolação e a desconfiança. Ninguém acreditava noutrem, cada qual vitimado pela insegurança reinante, recorrendo a qualquer recurso que pudesse auxiliar na sobrevivência, mesmo que através da ilicitude...

Já não havia sonho nem expectativa de melhores dias.

É nessa paisagem triste que Jesus aparece, revolucionando as mentes e ativando os sentimentos, que direcionava para uma nova ordem de valores.

Sua voz altissonante ecoava nas cidadezinhas e margens do Mar da Galileia, conforme anunciara o profeta:

– A terra de Zabulon e a terra de Neftali, caminho do mar, além do Jordão, Galileia dos gentios... O povo que jazia nas trevas viu uma grande luz, e aos que jaziam na sombria região da morte, surgiu-lhes uma luz.[8]

Exatamente na Galileia desprezada, considerada miserável e sem valor, gentia, em face dos seus filhos humildes, analfabetos, simples e desataviados, sem as complexidades da hipocrisia, mas autênticos e leais, trabalhadores e dedicados ao afã da honradez, é onde surge realmente a Luz.

Em que melhor lugar para expandir-se a claridade do que o espaço em sombras? Onde mais se faz necessário o conhecimento, senão naquele em que predominam a ignorância e o desconhecimento?

Por isso, Jesus escolheu aquela região para iniciar o Seu ministério de amor e de libertação, oferecendo aos

8. Mateus, 4: 15 e 16 (nota da autora espiritual).

que nada tiveram a abundância da Sua misericórdia e compaixão.

Eles nunca foram agraciados com qualquer benefício. Sempre explorados e desrespeitados nos seus sentimentos mais caros, eram motivo de chacota e desprezo.

– *Que se podia esperar da Galileia?* – interrogava com sarcasmo a tradição.

É, portanto, de lá, que se irradiará o Sol da Nova Era.

Jesus escolheu doze discípulos, e, curiosamente, onze eram galileus, sendo um único judeu – Judas, aquele que O traiu.

Agindo mais do que falando, o Seu amor atendia a dor física, imediata, a fim de alcançar a de natureza moral e leni-la, oferecendo confiança e alegria de viver a quantos se encontravam nas vascas da agonia por largo período.

Desse modo, iniciou o Seu ministério, curando as degenerescências do corpo, para alcançar os tecidos sutis do Espírito, e erradicar dele as mazelas que se transformavam em pústulas, cegueira, surdez, paralisia, loucura...

Nunca se vira nada igual e jamais se voltaria a ver algo que se lhe assemelhasse.

A revolução ideológica e saneadora dos males transpôs o Jordão e alcançou a Síria, de onde procediam magotes contínuos de enfermos e miseráveis, que desejavam beneficiar-se com o Mensageiro de Deus.

Partiam eufóricos os curados e chegavam soturnos, ansiosos, novos enfermos.

Inexcedível em bondade e compaixão, a todos Ele atendia, sem qualquer enfado ou reclamação, conclamando-os, porém, à mudança de conduta, *a fim de que nada de pior lhes acontecesse*, tendo em vista que os males procedem do imo, do Espírito e não do corpo.

Imediatamente, após demonstrar a Sua superior procedência, começou a falar a respeito do Reino de Deus, colocando as suas balizas nos corações ansiosos e nas mentes em despertamento.

Sabia que não encontraria imediata ressonância, em face do imediatismo a que se acostumaram aquelas gentes em rudes provas e dolorosas expiações.

A Sua, porém, era uma sementeira para o futuro da Humanidade, quando houvesse instrumentos que facultassem penetrar-lhe o âmago das informações, quando a Ciência e a Tecnologia alcançassem patamares elevados, facultando a decifração dos soberanos códigos da vida.

Não havia pressa. Antes, Ele enviara mensageiros, na condição de embaixadores capazes de orientar e de conduzir. Não ouvidos, desrespeitados uns e perseguidos outros, optara por vir, Ele mesmo, a fim de que não houvesse justificativas enganosas no futuro.

Por isso mesmo, iniciara o ministério revolucionário pela ação, para depois oferecer as informações capazes de gerar alegria perene e segurança permanente.

Já não havia dúvida. O Messias estava entre os filhos de Israel, que teimavam em não O receber, gerando impedimentos e criando embaraços, numa atávica e mórbida conduta de ser infeliz por prazer, embora fingindo anelar pela alegria e pela felicidade.

Jesus conhecia o ser humano em profundidade, no âmago da sua essência, e, por essa razão, não se afligia, não se impunha, não se inquietava.

A revolução chegara a Jerusalém, e os combates travavam-se solertes, às ocultas e às claras.

Dividiram-se os grupos e os interesses em jogo definiam os rumos.

A mesquinhez que se apega aos valores mortos das paixões materiais urde e executa planos que se caracterizam pela sordidez.

O farisaísmo cínico, o sacerdócio hostil, o convencionalismo hipócrita uniram-se para combater o Mensageiro da Verdade, para submeter a Luz às suas odientas sombras...

Como a claridade jamais teme, Jesus alcançara a cidade que *matava os profetas e aniquilava os santos*, onde também Ele deveria morrer aureolado pela grandeza da Sua pulcritude.

Difícil era enfrentá-lO, suportar o Seu olhar tranquilo e penetrante, manter a pusilanimidade... No entanto, acostumados à farsa, eles O desafiavam, mediante processos manhosos e interrogações maliciosas, dúbias.

O Mestre conhecia-os mais do que eles a si próprios.

Era um sábado, e a tradição considerava-o sagrado, totalmente dedicado ao repouso, em homenagem a Deus que jamais repousara.

Os outros não seriam dias consagrados ao amor, ao dever, ao progresso espiritual, mas somente ao trabalho, às cargas de preocupação e de labor exaustivo...

Entrando na residência de um fariseu destacado, e conhecendo-lhe a dubiedade de caráter, sob a curiosidade geral e acurada observação dos Seus inimigos, não demonstrando nenhum receio, pelo contrário, afirmando a Sua coragem, o Mestre, que tinha diante de si um hidrópico, interrogou os legistas e os demais fariseus:

– *É permitido ou não curar no sábado?*

Mas todos ficaram calados. Tomando então o homem pelas mãos, curou-o e mandou-o embora, desafiadoramente. Depois, disse-lhes:

– *Qual dentre vós que, se o seu filho ou o seu jumento cair num poço, não o tirará logo, ainda que seja em dia de sábado? E, a isto, não puderam replicar.*[9]

É muito fácil estabelecer-se no calendário das ações um dia para a ociosidade dourada, disfarçada de atividades religiosas, no bojo de um Universo em incessantes e contínuas transformações.

A astúcia humana sem limite, programa comportamentos esdrúxulos que lhe facilitem a inutilidade, disfarçando-se de cumpridores de outros deveres, como se apenas o sábado fosse a Deus consagrado, em detrimento de todos os demais dias estabelecidos para o crescimento espiritual e moral da criatura humana.

Jesus, que não respeitava convenções, por conhecer-lhes o despropósito e a vacuidade, especialmente elegeu o sábado para curar, para movimentar-se, demonstrando que o importante são as ações do bem e não as convenções estúpidas da insensatez humana.

Afinal, é mais fácil repousar no sábado, do que sarar moléstias, curar desaires morais, libertar das obsessões cruéis, seja em qual dia for.

A revolução que se iniciara entre as massas sofredoras agora alcançava os grupos selecionados pela riqueza,

9. Lucas, 14: 1 a 6 (nota da autora espiritual).

pelo poder, pela situação política, para sacudir as suas estruturas colocadas sobre areia movediça, portanto, fáceis de desmoronamento.

Não podendo impedir o idealismo do Messias, nem silenciar a proposta libertadora, os anões morais resolveram por intimidá-lO, e não o conseguindo, tomaram a decisão de matá-lO, como se, em toda revolução, a morte não se encontrasse presente confraternizando com a vida!

Era, portanto, um sábado, mas nem por isso o amor deixou de produzir bênçãos!

Amélia Rodrigues

Paramirim – BA, 26 de julho de 2005.

11

A CRISE MAIS SEVERA

As reuniões noturnas, na residência de Pedro, quando o Mestre se encontrava em Cafarnaum, constituíam-se como verdadeiros encontros educativos para os valiosos esclarecimentos a respeito do futuro dos candidatos ao Reino de Deus.

Enquanto o céu se recamava de astros fulgurantes e a brisa corria na amplidão da praia, carreada com os suaves perfumes da Natureza em festa, os discípulos acercavam-se do Sublime Educador, ora na ampla área lateral da casa de Simão Pedro, outras vezes, na barca ancorada na areia do mar, e crivavam-nO de perguntas, oportunas umas, infantis outras, dominados por compreensível curiosidade ou interessados em melhor penetrarem nos meandros do apostolado que iniciavam sem quase nenhuma segurança.

Paciente e misericordioso, Jesus sempre os atendia, explicando com cuidado as questões indagadas, ao tempo em que lhes ampliava a capacidade de entendimento em torno do ministério a que se deveriam dedicar com entrega total, considerando-se a magnitude da empresa a atender.

As notícias da Mensagem corriam de bocas a ouvidos, não apenas pela região ribeirinha, mas também atravessaram algumas das tetrarquias do país, atraindo curiosos e infelizes sempre ansiosos por milagres e feitos surpreendentes.

Simultaneamente, aos êxitos inegáveis da pregação e dos atos do Mestre, surgiam as primeiras reações dos opositores habituais, profissionais que se fizeram da negação e da suspeita, fâmulos dos interesses sórdidos das autoridades constituídas de quem recebiam migalhas como retribuição à conduta vil que se permitiam.

Ainda não se tinha a exata dimensão da missão de Jesus, o que mais espicaçava a curiosidade farisaica, tanto de religiosos inescrupulosos como de indivíduos insanos.

– *Afinal* – perguntavam-se –, *que pretendia, realmente, o filho do carpinteiro de Nazaré? Por que as Suas palavras velavam os acontecimentos ou eram mais profundas do que podiam penetrar? Estaria Ele a soldo de interesses estrangeiros, para desestabilizar o governo de Israel, ou o que aguardava, anunciando-se como Filho de Deus?*

Muitas vezes, doestos e escarnecimentos eram-Lhe dirigidos, seja na Sinagoga, onde comparecia uma que outra vez, ou mesmo nas ruas por onde transitava, sem que respondesse a qualquer pergunta que aclarasse a situação.

A verdade é que Jesus pairava acima das misérias da sordidez humana, não dispondo de tempo hábil para as suas mesquinharias.

Considerava os seus antagonistas como enfermos do Espírito, mais credores de compaixão do que de combate.

E porque parecesse aumentar o número desses adversários cínicos, num dos encontros, na larga sala da casa de pedra onde morava Simão Pedro, Tiago resolveu interrogar o Amigo.

Tiago era algo taciturno e severo no cumprimento das leis, sejam as de natureza religiosa, que emanavam do Templo de Jerusalém, ou daquelas outras que eram estabelecidas pela Torre Antônia, sempre fiel às tradições mosaicas e aos Livros sagrados que continham a história do seu povo...

Quase sempre refletia sobre a magnitude da oportunidade de convivência com o Rabi, da profundidade dos Seus ensinamentos que nem todos absorviam devidamente, chegando a comover-se ante as perspectivas que se lhe desenhavam na mente em relação ao futuro.

Naquele momento, porém, era imperioso informar-se mais, compreender o programa que estava sendo apresentado e equipar-se dos instrumentos próprios para a desincumbência das tarefas.

Desse modo, não titubeou quando o Mestre, após entretecer considerações demoradas sobre o comportamento das criaturas que O buscavam, sempre aguardando imerecidas bênçãos e soluções para os problemas do dia a dia, interrogando-O:

– *Senhor! Indubitavelmente vivemos uma hora de crises complicadas em toda parte. Roma esmaga Israel com impostos pesados, ameaçando-nos a todos com as suas legiões que se aquartelam em Jerusalém, em Cafarnaum, em Cesareia de Filipe... A miséria econômica e social dizima os menos resistentes e vivemos transitando entre crises que se repetem. Qual, afinal, a pior delas, será alguma que ainda virá?*

Jesus relanceou o olhar compassivo sobre o grupo de amigos, pareceu perscrutar o Infinito, e após um silêncio significativo, respondeu com sabedoria:

– *A pior crise que existe, Tiago, é a de caráter moral do homem, que responde por todas as demais expressões em que se manifesta. O ser humano está destinado à Imarcescível Luz, no entanto, ainda se compraz em deambular pelas sombras da ignorância, atado às paixões que o dominam e infelicitam. Meu Pai não deseja que o pecador desapareça, senão que o pecado que nele vive seja diluído. Para esse resultado, porém, faz-se-lhe imprescindível o esforço de transformação moral para melhor continuamente.*

Na raiz dessa crise cruel encontra-se o egoísmo que trabalha em favor de si mesmo, a prejuízo do seu próximo. Na falta, portanto, de solidariedade somente existem ambição e loucura, perturbação e desastre. As criaturas existem para que aprendam a conviver em paz, ajudando-se reciprocamente e crescendo juntas.

As heranças do seu primarismo, todavia, isolam-nas na presunção, nas ilusões do poder, de raça, de casta, de fé religiosa, política e social, trabalhando pela sua própria desdita.

Como efeito infeliz, as enfermidades e os problemas surgem, a fim de contribuírem em favor do despertamento do ser profundo a respeito da sua imortalidade e do seu destino futuro depois da morte, de que ninguém conseguirá evadir-se.

Por essa e outras razões, é que o Reino de Deus será instalado primeiro no mundo íntimo de cada um sobre os alicerces do amor incondicional e da caridade sem limites, de onde se espraiará para as dimensões externas, implantando-se definitivamente na sociedade.

Calou-se, de forma a proporcionar ao discípulo, cujos olhos brilhavam de felicidade, ampliar as interrogações, o que logo aconteceu, dando prosseguimento:

– *Trata-se de uma batalha silenciosa, que deve ser travada por cada um de nós, não podendo ser realizada sem grande esforço pessoal. Ninguém a poderá executar por nós, não é verdade?*

O Mestre anuiu com a cabeça em leve movimento afirmativo e ampliou o raciocínio do amigo:

– *São inimigos da evolução do Espírito, a avareza, o ódio, o ciúme, a inveja, a prepotência, a intriga, a perversidade, todos eles filhos espúrios das paixões primitivas que permanecem no âmago do ser, impedindo-lhe o avanço moral. Indispensável, desse modo, que aquele que se encontra em despertamento para alcançar a plenitude, capacite-se dos recursos valiosos da amizade em relação ao seu próximo, mas também da tolerância para com as suas deficiências, a todos muito comuns, ampliando a sua capacidade de entendimento e de compaixão, sem os quais se lhe torna impossível a entronização do amor no tabernáculo dos sentimentos.*

Não é muito fácil o empreendimento, em face dos exemplos ignóbeis que enxameiam em toda parte, conclamando ao revide, à luta competitiva, à agressão e à violência... No entanto, o amor é semelhante a um bálsamo perfumado que impregna deixando sinais da sua presença. Quando se começa a amar, mais necessidade se tem de amar, porque o amor se transforma em alimento vivo que sacia a fome pessoal daquele que o oferta, tanto quanto do outro que o recebe...

A severa crise destes dias é a mesma desde o início dos tempos e se prolongará ainda por um largo período na sociedade terrestre. Nada obstante, aqueles que estão convidados para a construção do Mundo Novo deverão doar-se ao amor, de forma que os seus atos valham mais do que as suas palavras e todos os reconheçam pela qualidade de entendimento e de fraternidade que exista entre eles.

Os fenômenos físicos, denominados sinais do Messias, os chamados milagres, logo serão esquecidos, porque novas enfermidades surgirão nos recuperados, e em face das exigências de outros mais complicados e contínuos, no entanto, o amor será a identificação mais segura entre aqueles que estarão no mundo, mas sem pertencerem ao mundo.

No futuro, que não tardará, as crises existenciais, regionais, políticas e morais cederão lugar ao entendimento entre todos, sob os auspícios do amor, porque estará resolvida a mais severa crise no ser humano, que é a de valores morais.

Novamente Ele fez silêncio, enquanto Tiago procurou absorver os Seus ensinamentos, insculpindo-os no caráter, para o enfrentamento que lhe estava reservado, no futuro, quando deveria dar a vida em favor do seu amor à Verdade e à Mensagem, conforme lhe aconteceu...

Amélia Rodrigues

Paramirim – BA, 15 de julho de 2006.

12

VIA LÁCTEA DE AMOR[10]

A Galileia gentil descia dos montes esparramando-se em uma larga faixa de terra verde e fértil, na qual a vida se apresentava estuante.

Crianças gárrulas e pássaros cantantes, homens laboriosos trabalhando o solo e negociando pelas ruas amplas das inúmeras cidades que se multiplicavam, modestas umas, esplendorosas outras, formavam a tetrarquia que não era considerada pelos judeus jactanciosos e soberbos de Jerusalém.

Seguindo um velho brocardo depreciativo, sempre perguntavam, solertes: – *Que pode vir de bom da Galileia?*

E veio o melhor, uma verdadeira *Via Láctea* de amor dali se espraiou por toda a Terra, alterando a paisagem social e moral do planeta sofrido.

O esplendoroso Mar ou Lago de Genesaré favorecia a região quente com ameno clima, e as suas águas piscosas que os ventos eriçavam de quando em quando, em forma

10. Mateus, 9: 32 a 38 (nota da autora espiritual).

de tormentas passageiras, apresentavam-se, normalmente, tranquilas e espelhadas.

Em Cafarnaum, que se ufanava de possuir uma sinagoga, a Natureza fora pródiga em gentilezas, tornando-a aprazível, generosa, sem as complicações das grandes urbes, mas também, sem a ingenuidade excessiva dos pequenos burgos.

Nos declives dos outeiros e pela terra ampla, flores miúdas misturavam-se, na primavera, com as rosas trepadeiras que ornamentavam as residências, e igualmente com as que espocavam nas árvores altaneiras e frutíferas em festa de enriquecimento alimentar.

Movimentos nas praias, na faina de cuidar das redes de pescar e rebanhos nos arredores eram tangidos docemente por pastores requeimados pelo Sol, completando o cenário dos homens e das mulheres simples e confiantes que habitavam o seu casario de pedras vulcânicas.

A formosa bacia de águas refletindo o céu infinitamente azul, quase sempre sem nuvens, constituía uma bênção incomum, sempre renovada pelo Jordão tranquilo, no seu périplo sinuoso na direção do Mar Morto em pleno deserto, era invejada pelas cidades que não a podiam desfrutar...

Naquela região, nas suas praias, nas barcas dos Seus amigos, nas praças públicas, num monte próximo, Jesus enunciou as mais belas palavras do vocabulário do amor e entoou o incomparável hino das bem-aventuranças, que nunca mais voltaria a repetir-se, assinalando a Humanidade com as lições que alteraram os conceitos em torno dos cidadãos e das nações.

Naquela Cafarnaum simpática, Ele estabeleceu a base do Seu trabalho; das suas praias de pedras miúdas e barcas encravadas nas areias, retirou alguns dos discípulos que O deveriam seguir alacremente, assim como da sua coletoria convocou outrem, a fim de que, um dia, no futuro, narrasse para a posteridade os *feitos* e os *ditos* que presenciara e ouvira entre deslumbrado e feliz.

Como um Sol de suave calor, ali Ele aqueceu os corações enregelados com o verbo eloquente da Sua sabedoria, transformando as emoções sofridas em sentimentos de inefável alegria.

Naqueles dias, o chamado para a Era Nova ecoava no ádito dos seres, qual música sublime dantes jamais ouvida, e no futuro nunca mais repetida, conforme se fizera naquela ocasião.

As melodias de esperança permaneciam nos pentagramas das vidas atraídas ao Seu rebanho, alterando as tormentosas aflições a que todos se acostumaram, enquanto favoreciam com a integral confiança em Deus diante de quaisquer circunstâncias.

O sofrimento, que sempre esteve presente na economia das vidas humanas, é mensagem aflitiva, especialmente proposto a quem lhe desconhece a finalidade santificante. Nem todos, porém, o entendem, ou conseguem retirar o lado bom da ocorrência dolorosa, descambando, pela rebeldia ou pela alucinação, não poucas vezes, para situações vexatórias, angustiantes, que mais lhes complicam a existência.

Mesmo hoje, ainda prossegue dilacerador, enquanto que, naqueles dias, era mais tormentoso, em razão das circunstâncias que o tornaram comum, diminuindo na sociedade existente a compaixão e a solidariedade, tal o número dos afligidos, que terminavam por passar quase invisíveis diante dos olhos da multidão indiferente...

A solidariedade constitui um hábito que se consolida através do amor, surgindo interiormente em forma de compaixão e desenvolvendo-se como atividade fraternal enriquecedora, na qual o doador apresenta-se sempre mais feliz do que o beneficiado.

Os seres humanos necessitam, em caráter de urgência, de conviver com o belo e o luminoso, a fim de acostumarem-se com a harmonia e a claridade, deixando-se atrair pela saúde, em vez de abraçar as dores que os dominam, transitoriamente necessárias, porque a vida é um ato de amor de Deus, e não uma punição da Paternidade Divina. Muitos dos que sofrem, porém, preferem apegar-se aos padecimentos, em deplorável situação autopunitiva, quando deveriam empenhar-se por superar a ocorrência necessária.

Foi essa a extraordinária mensagem psicoterapêutica de que Ele se fizera portador, mas quase nunca entendida.

Nada obstante, sempre quando se apresentava em qualquer lugar, os ventos da esperança sopravam gentis anunciando-O e atraindo as multidões esfaimadas de compreensão e de misericórdia, que se acotovelavam em toda parte para ouvi-lO e receberem a farta messe da Sua generosidade, distribuída amplamente a quantos a quisessem recolher.

Ele conhecia, sem dúvida, as angústias humanas e sabia diluí-las, apiedando-se dos seus padecentes. Ninguém como Ele para lidar com os conflitos dos indivíduos em aturdimento.

Isto, porém, porque penetrava, com a Sua percepção profunda, o âmago das necessidades, identificando-lhes as causas anteriores e os meios adequados para modificar-lhes a injunção penosa.

Enquanto o verbo fluía canoro dos Seus lábios em melodias reconfortantes e lenificadoras, Suas mãos alcançavam as exulcerações tormentosas, abençoando-as, à medida que as mesmas cediam ao leve toque, produzindo a recuperação dos pacientes comovidos.

Pedia-lhes que não voltassem a comprometer-se, evitando-se situações mais graves, por saber que os sofrimentos procedem do Espírito rebelde e recalcitrante, no entanto, logo passavam aqueles instantes formosos e os pacientes mergulhavam nos velhos hábitos que os infelicitaram anteriormente.

Numa dessas ocasiões, após discursar ternamente, trouxeram-Lhe um homem mudo, que se debatia nas amarras psíquicas constritoras de cruel verdugo espiritual. Não falava, porque era vítima de uma dominação obsessiva impertinente e vergonhosa.

O desditoso tinha aumentada a dificuldade interior de comunicação em face da vingança desencadeada pelo severo perseguidor, que também o afligia mentalmente.

Era um quadro desolador, que inspirava piedade.

Compreendendo a pugna que se travava além da forma física e vendo o insano inimigo do paciente em aturdimento, Ele repreendeu o perverso, exortando-o à libertação da sua vítima, o que aconteceu de imediato, permitindo que o mudo se pusesse a tagarelar entre lágrimas de justificada alegria.

O deslumbramento tomou conta do povo aglomerado que acompanhara a cena inusitada, desdobrando-se em júbilo repentino, seguido de um respeito que chegava quase ao temor.

A maioria daqueles que ali se encontravam, conhecia o enfermo que agora falava, e não podia entender a ocorrência feliz.

Foram inevitáveis a explosão de sorrisos e os gritos de louvor.

Mas Ele não viera para pôr *remendo de tecido novo em trajes gastos*, nem para colocar *vinho bom em odres sujos*, e, logo passou a euforia da massa, falou aos discípulos, compadecido da multidão *que estava cansada e abatida como ovelhas sem pastor:*

– A messe é grande, mas os trabalhadores são poucos. Rogai, ao Senhor da messe, que envie trabalhadores para a mesma.

Até hoje, vinte séculos transcorridos, o vasto campo dos corações continua aguardando o arado amoroso para a sementeira feliz.

Muitos chamados, após os momentos iniciais de entusiasmo, deixam a seara entregue às pragas e às circunstâncias ásperas do tempo...

Outros mais, distraídos na frivolidade, arrebanham companheiros para o campeonato da leviandade, piorando-se e a eles a situação moral em que estagiam...

Somente alguns comprometidos com a Verdade permanecem no labor, insistindo e desincumbindo-se das responsabilidades assumidas com festa na alma.

A sua dedicação ao trabalho vale, no entanto, por inúmeros, por incontáveis outros que desertam. Mas não são suficientes...

Ainda assim permanecem também incompreendidos, porque não fazem coro à insensatez nem à promiscuidade, e, não poucas vezes, são tachados de loucos, ultrapassados, ortodoxos, porque procuram servir ao Mestre conforme Ele o determinou.

O festival da ilusão fascina as mentes infantis, que ainda não se podem comprometer com o Divino Pastor.

Também Ele, a seu tempo, após haver curado o mudo, foi censurado e acusado pelos fariseus, que, não podendo fazer o mesmo, por lhes faltarem os valores morais necessários, afirmaram, fátuos: – *É pelo príncipe dos demônios que Ele expulsa o demônio...*

Aquela Galileia de ontem se encontra esparramada por toda a Terra, aguardando o Compassivo Libertador, e quando, hoje, alguém a Ele se refere e apresenta-O nos atos, experimenta a chocarrice e a perseguição insana que grassam dominadoras nos sentimentos ultrajados de todos quantos preferem a fantasia e a ignorância.

A *Via Láctea de Amor*, no entanto, alcança lentamente os corações dos seres sofridos e angustiados, nesta grande noite moral que se abate sobre o Planeta, através de O Consolador, que Ele enviou para dar prosseguimento à instalação do Reino dos Céus na terra dos corações.

Amélia Rodrigues

Paramirim – BA, 15 de julho de 2006.

13

A SINFONIA PATÉTICA[11]

Ainda perpassava no ar ameno a melodia excelsa das Bem-aventuranças.

As promessas consoladoras balsamizavam as mentes e os corações aflitos.

As esperanças dominavam todos os sentimentos e pairava uma psicosfera de enternecimento entre as criaturas.

A Natureza era um hino de luz e cor, perfume e harmonia, emoldurando o sublime cântico do excelso Poeta.

Aquela multidão amorfa, espalhada pelo imenso platô da montanha fronteiriça ao mar-espelho, via-se realmente por primeira vez...

Eram estranhos uns, mas outros não. No entanto, aquela voz que enunciara a canção de felicidade unira-os, preenchera as distâncias que os separavam, e eles

11. Mateus, 5: 38 a 42 (nota da autora espiritual).

agora se viam de maneira especial, como jamais ocorrera no passado.

Os lábios entreabriam-se em um sorriso gentil, expressando a amizade em desabrochamento.

Nunca lhes sucedera nada igual àquelas emoções que lhes dominavam as paisagens íntimas.

Muitos vieram de longe, sem saberem de nada, e um sublime sortilégio unira-os naquele momento mágico, inesquecível.

O silêncio cortado levemente pela brisa agradável que chegava do mar, insculpia nos corações a incomparável melodia, a fim de que nunca mais fosse esquecida.

Repentinamente, a sinfonia inicial pareceu-lhes ser o exórdio do que logo viria, referindo-se aos enfrentamentos, às dificuldades, às lutas acérrimas que chegariam a seguir...

As dádivas distribuídas eram muitas e as concessões haviam-se feito abundantes.

A voz d'Ele adquirira diferente musicalidade, mais vigor e energia naquele momento.

Transfigurara-se novamente à frente do Sol que Lhe fulgia às costas como uma moldura de incomum beleza, ornando-O de luz.

O doce Amigo transformara-se em seguro condutor de vidas, em guia incomum que ministrava as instruções complementares às melodias de carinho.

Todos os ouvidos pareceram ampliar a capacidade de escutar e penetrar-Lhe os conteúdos profundos.

Todos se encontravam extáticos, ligados às Suas palavras em outra sinfonia, porém, de sabor patético.

– *Tendes ouvido o que vos foi dito*: – começou Ele a esclarecer – *olho por olho, e dente por dente. Eu, porém, vos digo: não resistais ao que é mau; mas a qualquer que vos bater na face direita, voltai-lhe também a outra; ao que quer demandar convosco e tirar-vos a túnica, largai-lhe também a capa; e quem vos obrigar a andar mil passos, ide com ele dois mil.*

Silenciou, por breves momentos, e atingiu o clímax ao informar que somente o amor, sem qualquer restrição, é suficiente para os enfrentamentos com o mal e os maus, nunca o revide, a ofensa, o ressentimento, o desejo de vingança...

Uma exclamação de desapontamento explodiu no ar, saída de todos eles, que não esperavam uma sinfonia patética de tal intensidade, fazendo-os voltar à realidade terrena, chocados, surpreendidos.

Reflexionaram, de imediato: como ceder sempre? Nesse caso, onde a justiça e a responsabilidade da autodefesa? Como permitir que o violento agrida impune, seguindo adiante com a sua perversidade?

Sem dúvida, era trágico demais!

Todavia, essa *contramão* da Ética constitui a grandeza do Seu ensinamento.

É certo que se não deverá permitir que a agressividade e a violência tomem conta da Terra, e os fracos se transformem em bestas de carga dos fortes.

De alguma forma, esse ultraje ao ser humano sempre existiu, graças à escravidão, às necessidades econômicas, às injunções políticas...

A nova ordem, porém, é um convite à paz, um repúdio à violência, uma proposta vigorosa à coragem de não revidar mal por mal, de não devolver a hediondez, mesmo que haja oportunidade de fazê-lo.

O discípulo de Jesus é pacífico e pacificador, é manso e compreensivo, é ordeiro e confiante na Divina Justiça.

Ante uma agressão é normal que se experimente uma das três seguintes reações: o revide automático, a fuga para liberar-se de males maiores ou, por fim, oferecer-se a outra face...

Quando ocorre o revide, a contenda e a luta prosseguem ferozes. Aquele que reage, nivela-se ao agressor, vinga-se dele. Nem mesmo a morte anula as consequências do ato insano, em razão dos prejuízos que produz.

A fuga transfere o clima de ódio para outra oportunidade, denota fraqueza moral que vitaliza o violento e estimula-o a manter a atitude perversa.

A única alternativa, certamente, é a mais difícil: oferecer-lhe a outra face, o outro lado, que significa o perdão.

Diante do inesperado, o covarde agressor titubeia, dá-se conta do primarismo em que se encontra diante do outro que o enfrenta sem as chamas do ódio nos olhos, nem a baba peçonhenta do desequilíbrio nos lábios...

Se, por acaso, se atreve a uma nova agressão, a consciência irá queimá-lo e requeimá-lo em remorso tardio, originando tormentos da mesma qualidade que lhe tipifica a mesquinhez moral.

Inferiorizado, foge da sua vítima, tomba em desequilíbrio, reencarna-se para esquecer e recuperar-se.

Não revideis mal por mal, equivale exortar a fazer-se todo o bem possível e um pouco mais.

É certo que Jesus utilizou-se de uma figura de linguagem forte, porque não poderia estimular e aceitar a ferocidade humana, legalizar a injustiça, de forma a permitir aos violentos a ousadia de destruir impunemente, de infelicitar sem termo.

A patética sinfônica transformou-se em poema de exaltação da não violência.

A violência começava a morrer asfixiada no algodão da paz que envolve aquele que ama.

Não há quem possa vencer um homem ou uma mulher que sejam pacíficos.

Ninguém fere a quem possui a paz e desapega-se da manta e da capa, tem paciência e caminha mais do que lhe é solicitado ao lado daquele que lhe impõe o esforço.

A ação de amor produz prazer, jamais sacrifício.

A não violência é toda uma sinfonia de bênçãos que Ele gravou nas delicadas cordas da cítara emocional da alma humana.

...Tratava-se do prelúdio das novas mensagens sérias e definidoras de rumo para todos quantos O quisessem seguir.

Não somente bem-aventuranças antecipadas, mas resistência moral no bem para diluir o mal, após o que a promessa torna-se realidade.

Não resistais ao mal...

Enfrentamentos com os maus significam preservação da maldade e da loucura da violência.

Na contramão da conduta ancestral, o amor, em cânticos de perdão, constitui a sinfonia patética a transformar para a canção da liberdade.

...Dai a outra face.

Jamais alguém tivera a coragem de propor tal comportamento. Ele o fez, porque iria demonstrar que é possível essa conduta, quando convidado ao holocausto da própria vida por amor.

Bem-aventurados, pois, todos os pacíficos...

Amélia Rodrigues

Salvador – BA, 10 de dezembro de 2007.

14

JESUS E FAMÍLIA

Terminadas as fainas diárias, quando se encontrava em Cafarnaum, a encantadora cidade à margem do Tiberíades, Jesus mantinha inolvidáveis tertúlias com os companheiros e outras pessoas que vinham ouvi-lO sob a tênue claridade das estrelas refulgentes no zimbório celeste.

Invariavelmente, nas noites primaveris, perfumadas e serenas, sentava-se na proa de alguma embarcação encalhada nas areias úmidas do mar, ou particularmente naquela que pertencia a Simão Pedro, e abordava temas do cotidiano, a fim de instruir os ouvintes interessados.

Noutras ocasiões, nos períodos outonais ou invernosos, utilizava-se da ampla sala da residência do querido pescador, e ali discorria sobre as necessidades humanas, seus conflitos, suas lutas, seus anseios de felicidade...

Essas lições, de suma importância, constituíam os alicerces para a construção do amor no imo das almas, bem como para oferecer segurança no comportamento quando surgissem situações inabituais, quase sempre geradoras de perturbação.

Os discípulos, curiosos uns e necessitados outros, aproveitavam-se das excelentes ocasiões para manterem a intimidade com o Amigo que os conduzia serenamente ao equilíbrio e à sabedoria.

Ele jamais se cansava ou se sentia incomodado com as perguntas ingênuas, fora do contexto das narrativas ou resultantes de equivocações.

Pacientemente, ouvia-os a todos e elucidava-os, demonstrando inesgotável paciência, característica própria da Sua personalidade extraordinária.

Numa dessas ocasiões, após a pregação do entardecer, quando narrara diversas parábolas, nelas guardando as pérolas luminosas da Revelação, e o povo retomara as suas atividades no retorno aos lares, Ele acercou-se do velho barco, seguido pelos discípulos e sentou-se, preparando-se para ouvi-los e elucidá-los.

A Natureza respirava perfumes suaves carreados nos braços dos ventos brandos.

Pairavam nas mentes e nos corações ansiedades feitas de alegrias e expectativas.

João, o discípulo amado, acercou-se-Lhe e, com serenidade, interrogou-O:

– *Quando dizemos que Deus é nosso Pai Amantíssimo, porque é o Criador de todas as coisas, depreendemos que todos somos irmãos, mesmo em relação àqueles que se afastam de nós e nos detestam?*

– *Sem dúvida, João* – confirmou o Amigo –, *os maus e indiferentes, os perversos e odiosos também são nossos irmãos, pois que, se fora ao contrário, concordaríamos que existiria outro Genitor Divino. Pertencemos todos à família universal, ligados, uns aos outros, pela mesma energia que a tudo deu origem. A fim de que o amor se estabeleça entre as criaturas de conduta e de sentimentos tão difíceis, o Excelso Pai fez o ser humano também cocriador, contribuindo com ele para o crescimento de cada um, através da união conjugal, da qual surge a família consanguínea, que é pródromo da universal. Graças à união dos indivíduos pelo sangue, surgem as oportunidades da convivência saudável, mediante o exercício da tolerância e da fraternidade, em treinamento para a compreensão dos comportamentos antagônicos, que serão enfrentados nos relacionamentos fora do lar.*

Assim, a família biológica é a célula inicial do organismo geral em que todos se movimentam.

– *E por que* – prosseguiu, indagando –, *embora o grupo seja procedente dos mesmos pais, cada um dos seus membros é tão diferente do outro, chegando alguns a ser totalmente antagônicos entre si?*

– *Porque nem todos procedem do mesmo conjunto moral* – respondeu, afável. – *Os Espíritos que irão habitar os corpos são criados sem experiências, desconhecendo as razões da vida, os processos de crescimento moral, uns adiantando-se mais do que outros, que estacionam nos erros e nos procedimentos incorretos, desse modo, tornando-os diferentes, portadores de aspirações e emoções distintas.*

Nas experiências dos renascimentos sucessivos, criam situações embaraçosas para eles mesmos, tornando-se rebeldes e demorando-se na insensatez. Não poucas vezes, dominados pelos sentimentos inferiores, que não sabem ou não querem combater, inimizam-se com os demais, tornando-se-lhes adversários ferrenhos, sob a ação danosa da inveja e do egoísmo.

O Pai Generoso, a fim de ajudá-los a refazerem as experiências malogradas, proporciona-lhes novas experiências ao lado daqueles contra os quais se obstinam, na família consanguínea, em que as necessidades de evolução lhes trabalham as imperfeições. Eles constituem, desse modo, motivo de educação moral para os outros, ao tempo em que despertam para as emoções elevadas do amor e da fraternidade. Convivendo num meio saudável, e sendo motivo de apreensão e de luta, a pouco e pouco, despertam para os deveres da solidariedade e do bom relacionamento, iniciando o processo de transformação para melhor, para o bem e para a felicidade real.

Vejamos os exemplos entre nós, de Pedro e André, você e Tiago, unidos pelo mesmo sangue e, entretanto, com sentimentos próprios, diferentes, independentes, que reuni em torno de mim, iniciando a família universal...

A família doméstica, portanto, não é resultado apenas da união daqueles que se amam, porém, de todos quantos se necessitam, a fim de que se ajudem uns aos outros, gerando dependência afetiva.

– *E quando um viúvo* – indagou Tomé com seriedade – *que é pai une-se em novo casamento, volta a ter filhos com a nova mulher, como será essa família?*

– *Não importa de quem seja a progenitura* – esclareceu o Mestre –, *porquanto, ao infinito, é sempre de Deus, impondo a união e o respeito entre todos, preservando a identidade fraternal, que um dia unirá todas as criaturas como ovelhas de um rebanho único.*

Os pais terrestres são instrumentos transitórios da Divina Sabedoria, que deles se utiliza para o aperfeiçoamento das almas no seu processo de elevação. Podem ser considerados o solo fértil onde são depositadas as sementes que se converterão em vida e abundância, desenvolvendo os recursos que lhes dormem no íntimo, necessitadas, por enquanto, desse recurso espiritual.

– E quando procedem de raças estranhas e inferiores – tornou à carga, o discípulo sisudo –, *não pertencentes ao grupo dos eleitos israelitas, como considerá-los irmãos ou membros da família espiritual?*

O Senhor cravou os olhos luminosos no discípulo presunçoso, e respondeu com suavidade:

– O Pai de Sabedoria não elege uma raça em detrimento de outra, o que significaria ter paixão e ser prepotente, caso o fizesse. Quando nossa raça é tida como eleita, isso não significa superioridade, mas responsabilidade pelo conhecimento de que é portadora em face dos profetas e dos reveladores que nela apareceram, ao largo dos séculos, a fim de orientar as outras, ainda não conhecedoras da verdade, pelo melhor caminho a percorrerem. Não se trata de um privilégio, que não existe diante do Ser Supremo, mas sim de uma grave condição para mais amar e melhor auxiliar a todas as outras. Não procedem os samaritanos do mesmo pai Abraão? Não são humanos como os judeus, crendo no mesmo Deus e nas Leis apresentadas por Moisés? Por que o ódio que os separa, senão herança do primarismo espiritual, colocando-os distantes do mandamento do amor como essencial para a felicidade na vida eterna?!

No meu Reino, aquele que o Pai me confiou, todos viverão juntos e amando-se, procedam do setentrião ou do meio-dia, de um ou do outro lado da Terra. Eu venho para unir o que se encontra separado, para recuperar o que se haja perdido, para demonstrar que somente o amor é capaz de produzir a felicidade real entre todos os seres da

Terra... Eu vos tenho como a minha família. Por isso mesmo, oferecer-me-ei em holocausto, dando a vida, para que todos compreendam, por fim, que apenas o amor liberta e somente a doação enriquece...

Os companheiros, colhidos de surpresa pela informação, que não puderam assimilar de imediato, ficaram pensativos, enquanto o vento suave percorria a paisagem.

O Mestre levantou-se e, lentamente, afastou-se do grupo ensimesmado, caminhando pela praia adornada pelas rendas das espumas do mar que se desfaziam na areia molhada...

Quase três anos depois, quando se encontrava na cruz, expirando, e ouviu o grito de sua santa mãe chamando-O de filho, Ele fitou João, que se encontrava ao lado dela, e propôs a família universal do amor, enunciando:

– *Mulher, eis aí o teu filho. Filho, eis aí a tua mãe!...*

Rompiam-se, naquele momento, os laços da família biológica para ampliarem-se os sentimentos de união na família universal.

Amélia Rodrigues

Paramirim – BA, 18 de julho de 2007.

15

...E OS SAMARITANOS NÃO O RECEBERAM...[12]

Recordando-nos da figura incomparável de Jesus, da Sua presença na Terra, deambulando entre as criaturas atônitas, podemos considerar o acontecimento como um amanhecer ensolarado em noite plena de horrores com predominância de tempestades e desesperos...

Qual sublime Sol, lentamente banhava as trevas densas, anunciando claridade, facultando a visão real de tudo quanto se ignorava, ensejando alegria e compreensão dos acontecimentos, que antes sucediam mergulhados no sobrenatural e no maravilhoso, por desconhecimento da sua causalidade.

Sua existência excelsa foi semelhante a uma primavera ridente e formosa, após demorada e aparvalhante invernia, que parecia não mais terminar...

---

12. Lucas, 9: 51 a 56 (nota da autora espiritual).

Ainda hoje ressumam essas claridades insubstituíveis do Seu amor, atenuando a escuridão moral que teima em permanecer dominando as paisagens dos sentimentos humanos.

As multidões desnorteadas naquela época, apenas dispunham de vagas notícias a respeito da Verdade, transmitidas pelos profetas da raça, respeitáveis pelas vidas extraordinárias e sofridas, enquanto aguardavam um Messias que fosse belicoso e cruel para as demais pessoas e sumamente generoso para o *povo escolhido*, recompensando-o pela sua fidelidade ao *Deus Único*...

Eram mantidas na ignorância, porque assim mais facilmente se tornavam manipuladas ao bel-prazer dos poderosos que as exploravam até a exaustão.

Em realidade, a decantada afeição e o fingido devotamento a Deus eram mais formais do que reais, porquanto, divididos em seitas, que se detestavam reciprocamente, demonstravam mais a prevalência do orgulho e da soberba do que a indispensável submissão aos desígnios divinos.

Israel desejava um poderoso Messias que o exaltasse, libertando-o do tacão dominador do império de Roma que detestava... Por isso, as intrigas e pugnas sucediam-se tão intermináveis quanto odientas.

Traições e conciliábulos torpes multiplicavam-se, sempre afogados em banhos de sangue abundante...

As arbitrariedades no comportamento do povo misturavam-se às aparências dos religiosos em formalismos rígidos, mais preocupados com a forma do que com o conteúdo da doutrina, atestando a indiferença quase total pelas tradições espirituais venerandas e pelos ensinamentos que vertiam do Alto em exuberância e frequência, direcionados a todos os judeus.

As denominadas classes altas, a dos privilegiados, dedicavam-se ao absolutismo do poder e à competição pela conquista dos altos cargos em lamentáveis processos de usurpação vergonhosa, sem qualquer respeito pelas demais criaturas, suas irmãs, que permaneciam marginalizadas.

Os outros povos somente mereciam escárnio e desconsideração, por não pertencerem aos clãs de Abraão, de Isac ou de Jacó...

Nada obstante, Deus pairava magnânimo acima das rudes circunstâncias e da infeliz prosápia dos enganados.

As divisões ridículas e a segregação dos samaritanos constituíam chaga moral purulenta, exsudando as torpes condutas que não se encaixavam nos programas estatuídos para o futuro.

Os preconceitos eram absurdos, sempre selecionando os indivíduos e dividindo-os em processos de impiedade e torpeza moral.

Jesus veio, naqueles dias, e uma aragem nova perpassou pelas massas sofredoras, anônimas e esquecidas...

Foi Ele o primeiro a dignificar a mulher ultrajada e submetida aos infames caprichos da vileza moral dos homens grosseiros, que se consideravam especiais na Criação Divina.

Coroando a Sua experiência de amor transcendente, elegeu uma sofredora renovada para aparecer-lhe depois da morte, mulher que antes vivia de maneira equivocada, dominada por Espíritos vulgares, que Ele libertou da desintegração emocional a que se entregava. Ao mesmo tempo, honrou as duas irmãs de Lázaro, que passaram a devotar-se-Lhe com extremado carinho. Dignificou uma samaritana, junto ao poço de Jacó, na árida região em que a água era escassa, explicando-lhe que Deus não habita o templo de Jerusalém, nem o do Monte do Gafanhoto (Garizim), mas reside no santuário dos corações e no altar da Natureza...

Posteriormente, honrando aquela raça que fora amaldiçoada, utilizou-se da figura de um dos seus membros – o samaritano – bom e nobre, gentil e cavalheiro, para lecionar o amor ao próximo de maneira invulgar, sem qualquer exigência de sangue ou de ancestralidade, tornando-o o símbolo da caridade incondicional.

Aqueles dias aproximavam-se da fase dos testemunhos a que Ele seria submetido.

A sinfonia de bênçãos seria agredida pelos ruídos das tragédias sucessivas, e Ele deveria rumar a Jerusalém, a cidade santa e maldita, que matava os profetas e glorificava os criminosos que conseguiam vitórias...

Ele mandou que alguns dos Seus discípulos fossem, à frente, a fim de prepararem hospedagem, *aplainando os caminhos ásperos,* embora soubesse antecipadamente o que Lhe estava reservado.

Entre a Galileia e a Judeia encontrava-se a Samaria, agreste e sofredora.

Quando Ele chegou ali, porém, foi informado de que os samareus daquela aldeia por onde passava, recusavam-se a recebê-lO, porque Ele rumava a Jerusalém, onde estavam proibidos de entrar.

Era na Samaria que deveriam adorar a Deus e não em Jerusalém, ou vice-versa, a depender do lado em que se encontrava a questão, pensavam, igualmente soberbos...

Tiago e João que O anteciparam, tomados de ressentimento e cólera, propuseram:

– *Senhor, queres que digamos que desça o fogo do céu e que os consuma?*

Ele, porém, irretocável e majestoso, ao invés de punição contra aqueles que O recusavam, distendeu misericórdia e compaixão. Deteve-se, mesmo ante a obstinação do povo e a muitos curou das suas mazelas, diminuindo-lhes a aflição e os sofrimentos.

Os samaritanos constituem, na Boa-nova, o exemplo paradoxal da conduta leviana e mesquinha.

Desprezados e detestados, não desenvolveram os sentimentos de elevação, de altruísmo, permanecendo nos revides insensatos e na pequenez em que se refugiavam.

Diante da luz que lhes chegou, fecharam os olhos para ignorá-la, sem dar-se conta dos benefícios que poderiam ser hauridos.

Recebendo a abundância, fixavam-se na escassez, sem permitir-se enriquecer da sabedoria que liberta e felicita.

Convidados à plenitude, optaram pela avareza.

Não quiseram receber Jesus, mas se permitiram beneficiar da Sua excelsa magnanimidade.

A aldeia ficou no anonimato, quando poderia haver florescido, reverdecendo o solo adusto dos corações ante o sopro fértil do Semeador.

Seu exemplo de egoísmo e de rebeldia permanece caracterizando outras vidas, muitas vidas que vieram depois, e que também não O receberam...

Entre a Galileia e a Judeia espraiava-se a Samaria dos renegados que se tornaram renegadores...

Ele seguiu a Jerusalém, onde foi traído, entregue aos Seus inimigos, imolado na cruz entre menosprezo e ódio perverso, nada obstante, três dias após a Sua morte, ressurgiu, retornando para atender as necessidades infinitas de todos aqueles que preferiram continuar na treva, ao invés de inundar-se da luz inefável da Sua presença.

Amélia Rodrigues

Paramirim – BA, 21 de julho de 2007.

16

SUBLIMES PARADOXOS[13]

Toda a vida de Jesus, na Terra, foi assinalada por sublimes paradoxos que permanecem, alguns deles, como verdadeiros desafios à lógica, à ética e à razão, mas que se estruturam em fundamentos de segurança da Sua incomparável Mensagem.

Tendo vindo anunciar o *Reino de Deus,* não se utilizou da retumbância dos poderosos terrestres, antes recorreu aos instrumentos mais modestos e desconsiderados, para apresentar a grandiosa proposta de felicidade para os seres humanos.

Ao atingir a idade da razão e iniciar o ministério para o qual viera, procurou demonstrar a grandeza de Deus através dos recursos de que se fazia portador, jamais recorrendo à fanfarronice ou aos mecanismos dos festejos conhecidos, mantendo incomum dignidade, sem a bajulação aos poderosos nem o servilismo a quem quer que fosse.

---

13. Mateus, 18: 28 a 30 e 10: 34 a 36 (nota da autora espiritual).

Inaugurou uma primavera de esperanças como jamais antes houvera acontecido, isto porque a Sua é a Mensagem da alegria permanente, havendo elegido os miseráveis, os estropiados, os excluídos, neles colocando as sementes de amor necessárias ao reflorescimento dos seus corações estiolados.

Atendendo-lhes as necessidades imediatas – doenças, limitações, fome e abandono – pedia aos socorridos que nada dissessem a quem quer que fosse, quando seria natural sugerir-lhes que trombeteassem em altas vozes o que lhes acontecera.

Só mais tarde ordenaria que se propalasse a notícia, em razão da chegada do *novo tempo de amor e de paz.*

Evitou os discursos que perturbassem a mente e exigissem muito da razão, optando pelas parábolas simples que lhes penetravam melhor os sentimentos e o raciocínio, de maneira que ficaram insuperáveis através de todos os tempos transcorridos...

Compreendia que o intelecto dos fariseus e dos poderosos era um labirinto sombrio no qual se homiziavam os interesses mesquinhos, a fim de discutirem e sofismarem em relação a tudo que pretendesse alterar-lhes a vacuidade dourada...

Mas os simples culturalmente, que não compreenderiam os artifícios da lógica e das abstrações filosóficas, deixar-se-iam enriquecer por aquelas imagens comuns do dia a dia...

Eles conheciam as redes de pescar, algumas das moedas em circulação, as lâmpadas e os seus combustíveis, os grãos de mostarda e de trigo, as pérolas, as figueiras produtoras e as estéreis, o fermento e o levedo, os peixes e os pães...

Para que permanecessem inesquecíveis os Seus ensinamentos, com eles compôs as parábolas, utilizando-se da inexcedível sabedoria que proporciona uma existência feliz...

...E prosseguem vibrantes, vigorosas, ricas de conteúdo na atualidade da Ciência e da Tecnologia, orientando vidas e salvando-as.

O vigor do Seu Verbo, muitas vezes apresentava-se de forma paradoxal para aquelas mentes, as dos homens e mulheres que convidava para que se transformassem em proclamadores da Nova Era.

Era o Príncipe da paz, mas trouxe a divisão...

Obediente à Lei que mandava ser preservado o respeito aos pais, ignorara a presença da Sua mãe e de familiares outros, enquanto cuidava dos negócios do Seu Pai, propondo, desde aquele momento, a integração de todos na família universal.

Pregando a união, informou que viera separar os familiares, uns dos outros membros, mesmo aqueles que viviam em maior intimidade...

Embora respeitando os desencarnados, afirmou que *somente os mortos devem sepultar os seus mortos*, enquanto aqueles que despertaram para a verdade irão anunciar o Reino de Deus.

Em realidade, esses paradoxos da Sua palavra são diretrizes de vigor e de segurança para que todos deem importância àquilo que é de sabor indestrutível em relação ao transitório e supérfluo.

Iluminam-se de sabedoria os Seus *ditos* após as reflexões necessárias, tendo-se em vista que a opção por segui-lO custa um grande sacrifício, exatamente por dividir as famílias, principalmente aquelas que se comprazem na inutilidade, nos prazeres imediatos, que ainda não despertaram para a realidade do ser existencial que as constitui.

O Sermão da Montanha é o prelúdio da sinfonia perene, e desdobra-se em outros maravilhosos cânticos que Ele entoou com mestria no transcurso do ministério.

Os desprezados e malvistos, por também serem filhos de Deus, em vez do repúdio, necessitam de oportunidade para refazimento interior. Essa proposta, a da divisão, da renúncia, choca os puritanos e presunçosos, mais preocupados com o exterior do que com a realidade que são, mais atentos aos cuidados da indumentária do que com o conteúdo moral, a sua essência...

Preferem a hipocrisia bem urdida, enganosa, com que disfarçam os sentimentos afligentes, dando a impressão de uma felicidade de que não desfrutam e de um poder que não possuem.

Para segui-lO, conforme o propunha, é claro que se faz necessária uma divisão radical, que nem todos compreendem, e isso separa os membros da família, divide as pessoas, gera lutas e conflitos, porquanto uns permanecem buscando os mesquinhos interesses, enquanto os convidados para o Reino anelam pelo tesouro maior, embora noutra dimensão.

Ante os jogos do imediatismo e das possibilidades das conquistas mediatas, a eleição dos últimos produz choque, em face dos apegos terrestres, das ilusões...

Foi o que aconteceu com Ele, antes como depois do Seu suplício e ressurreição.

Aqueles que O amaram e optaram por segui-lO experimentaram o opróbrio, a perseguição, o exílio, a morte infamante, porque se tornaram *ameaça ao poder temporal dos césares* e dos vendilhões das divinas mercês.

Ser-Lhe fiel é loucura! – bradam os apaixonados do corpo, em relação à eleição do Espírito imortal.

São, no entanto, os lúcidos, os sábios, que podem eleger o perene em detrimento do transitório.

Um homem trabalhava no campo e, cavoucando a terra, encontrou um tesouro. De imediato, no júbilo imenso de que foi possuído, ocultou-o e foi tentar comprar aquele terreno, tudo investindo por causa do mais valioso…

Um outro homem possuía pedras preciosas, metais raros e caros. Ao encontrar, porém, uma pérola especial, de valor inestimável, perdeu todo o interesse pelo que possuía e vendeu-o, a fim de adquiri-la, por ser única, portanto, muito mais valiosa do que tudo de quanto dispunha...

Enquanto não chegavam os noivos, as jovens precipitadas gastaram o óleo das suas lâmpadas, mas as outras, que eram prudentes e confiantes, economizaram-no, mantendo-se em expectativa.

...E quando eles chegaram, as últimas receberam-nos em festa, mas, as outras, imprevidentes, ficaram impossibilitadas de participar do banquete dos esponsais programados...

As Suas narrativas são uma ímpar melodia estruturada em simplicidade e beleza, que penetra o ser, dulcificando-lhe as emoções com desconhecida musicalidade que jamais será esquecida.

O Seu messianato, no entanto, sai das paisagens aldeãs da Galileia simples, da Samaria inquieta, das regiões próximas e esplende na entrada triunfal da soberba e criminosa Jerusalém, onde antes chegara a Sua fama e Ele, discretamente a visitara, mais de uma vez.

Aquela glória, porém, a daquele momento, era o prelúdio da traição, da negação, do abandono dos amigos, da solidão com Deus, para a *patética* terrível da cruz e da morte...

...E da Ressurreição!

Era necessário ir-se para retornar em triunfo na madrugada exuberante de luz e de beleza.

Tornava-se indispensável confirmar com a vitória sobre a morte, todos os Seus *ditos e feitos* através da invencível imortalidade, da comunicação com os amigos que permaneceram na saudade, bem como da promessa de ficar para sempre com os convidados para o Seu Reino.

Jesus e os Seus sublimes paradoxos!

Os tortuosos caminhos da existência humana, do ponto de vista social e tradicional, caracterizam-se pela ambição em favor do poder temporal, do destaque no grupo, da glória rápida, da disputa incessante pelos bens que fascinam e não preenchem os abismos das necessidades emocionais, nem as aspirações de paz interior e de saúde integral.

Para percorrê-los, quase todos se entregam às lutas insanas, sem dar-se conta da rapidez com que se diluem os projetos e anseios acalentados.

Os planos com Jesus, porém, são de máxima duração, de sabor eterno. Por isso, às vezes, são paradoxais as suas propostas e diretrizes...

Quando te encontres, portanto, a um passo do desespero e da loucura, em doloroso esquecimento de todos e em terrível solidão, quando excruciado e incompreendido, paradoxalmente exulta, porquanto, à semelhança d'Ele, te adentrarás pela *porta estreita* e sombria da imortalidade, para retornares aureolado de luz e de alegria em ressurreição incomparável, nunca mais sofrendo ou aparentemente a sós...

Amélia Rodrigues

Paramirim – BA, 21 de novembro de 2007.

17

ESPADA E FOGO[14]

Sucediam-se as multidões como vagas suaves do mar, tangidas por ventos brandos, arrebentando-se nas praias do Seu amorável sentimento de amor.

Aquelas contínuas moles humanas podiam também recordar sucessivas camadas de areia que cobriam as anteriores, carreadas sob a carícia da brisa gentil da Sua afabilidade...

Ninguém resistia ao doce ou ao vigoroso apelo da Sua voz.

As massas aflitas multiplicavam-se prodigiosamente, surgindo de um para outro momento, sem que se percebesse a procedência, de onde vinham.

Saciadas umas, logo outras apareciam esfaimadas de pão e de amor, com sede de paz...

Vencidas pela desdita e pelo abandono, já não confiavam em ninguém, já não esperavam nada que lhes diminuísse o sofrimento.

---

14. Mateus, 10: 34 a 36 e Lucas, 12: 49 a 53 (nota da autora espiritual).

Deixavam-se fustigar pelas tempestades da desolação, sem ânimo ou esperança alguma que lhes motivasse prosseguir vivendo.

Era natural, portanto, que, repentinamente fossem atraídas pelas notícias em torno do Profeta, que anunciava um novo Reino, mas, sobretudo, amparava os desfalecidos na Terra; que falava sobre Deus e confortava as criaturas que d'Ele se houveram distanciado; que exaltava o amor e amava de tal forma que convivia com eles, os miseráveis detestados e nauseabundos...

Assim, viam o Mestre e O buscavam.

Desse modo, o Senhor a todos recebia, um a um, ou em grupos, orientando-os sem cessar, sem atropelo, de forma que o Seu verbo lhes acalmava o desespero e a Sua misericórdia suavizava as suas aflições.

Normalmente, atendia-os a todos de maneira geral...

Nascido pobre, após renunciar aos arquipélagos estelares, reunira, à sua volta, outros tantos pobres que, de maneira alguma, se tornaram mendigos ou se esconderam na miséria, trabalhadores do povo, que conviveram com o povo e que constituíam, dessa forma, a multidão a Ele atraída.

Chamara-os a todos no trabalho em que se afadigavam, acostumados que se encontravam às pelejas pelo pão e pela paz, que transformariam na busca do Reino de Deus, destituídos das ambições tormentosas e das paixões competitivas e perturbadoras do cotidiano...

Convivia com eles em doce igualdade, sem diminuir a Sua grandeza e elevação, participando das suas conversas e preocupações, nada obstante pairando acima das mesquinhezes que lhes eram habituais.

Logo depois, começou a participar das necessidades das massas volumosas e expressivas, compreendendo-lhes os sofrimentos, mas não se permitindo aceitar a revolta dos infelizes, o ódio dos desesperançados, as tricas da inveja e das situações deploráveis a que a grande maioria se arrojava.

No sentido oposto, compadecia-se dos ricos, dos endinheirados e não os abominava, porque lhes conhecia os escaninhos dos sentimentos em sombras onde se refugiavam as ignoradas amarguras, carentes de apoio, de amor e de compaixão.

Entre as duas faixas humanas – os pobres e os ricos materiais –, Ele enfrentava a terrível mole dos fariseus preocupados com a aparência, dominados pela soberba decorrente da posição social que desfrutavam, e dos saduceus beligerantes e materialistas, que Lhe exigiam maior soma de misericórdia e de compreensão.

As poucas vezes em que visitara Jerusalém, a orgulhosa capital de Israel, confundiam-se os odores pútridos dos esgotos abertos pelas ruas malcuidadas, que exalavam miasmas, com aqueles piores, os de natureza moral dos seus habitantes exploradores e insensíveis.

Dependente do Templo suntuoso, o ímpio Herodes, o Grande, embelezara-o, adornando-o com pórfiros preciosos, painéis de ouro maciço na sua entrada, madeiras famosas do Líbano, a fim de conquistar a simpatia dos demais corifeus da miséria moral que ali reinava, tornando-o o mais famoso do seu tempo, sem que, no entanto, possuísse qualquer convite ao recolhimento e à religiosidade.

Cambistas, negociantes de todo tipo, vendedores de animais para os holocaustos confundiam-se com os aproximadamente vinte mil sacerdotes, não incluindo os levitas, descendentes de Aarão, todos ociosos que viviam dos *dízimos em gêneros, das taxas, do resgate dos primogênitos (que pagavam cinco ciclos por cabeça) e alimentavam-se com a carne dos animais sacrificados, os quais eram queimados apenas nas gorduras...*

Os sacerdotes eram sustentados também pelas *primícias dos rebanhos, das colheitas*, de tudo quanto pudesse ser arrancado do povo exaurido, inclusive das *rendas dos animais que eram vendidos* para as perturbadoras *ofertas*, associando-se aos cambistas e favorecendo empréstimos com juros extorsivos, desempenhando papéis de banqueiros impiedosos.

Os interesses econômicos eram disfarçados com as obrigações religiosas impostas a todos que, inclusive, sendo judeus, vinham de distantes regiões por ocasião das festas, especialmente da Páscoa, chegando a atingir o número de três milhões de visitantes em algumas dessas ocasiões, conforme narra o historiador Flávio Josefo...

A religião era somente um disfarce para a exploração muito bem elaborada e para a prática de hediondos crimes que se ocultavam na desfaçatez, com que se resguardavam aqueles que deveriam dignificar o povo.

Jesus se houvera rebelado contra tanta infâmia, numa das vezes em que lá estivera, já nos Seus últimos dias, que mais açulara os ódios gratuitos dos perversos e exploradores inclementes.

Esse esbirro de César, que se acumpliciara com Roma para esmagar o povo, que o detestava, governava com mão de ferro, e, posteriormente, o seu filho Herodes Antipas não era menos depravado e cruel...

Tal era a paisagem humana, triste e mórbida, na qual o poder temporal misturava-se ao falsamente espiritual para sobreviver de qualquer maneira, como lobos e chacais disputando as mesmas presas...

Nessa sociedade sacudida pela desordem contínua e rebeliões esmagadas com crueldade, portadora de criminalidade maldisfarçada, era o solo <u>sáfaro</u>, que Ele deveria <u>joeirar</u>, para transformá-lo em seara rica de paz e de amor...

Acostumados à hipocrisia, ao descrédito e à quase indiferença pelas lamentáveis condições dos poderosos, os miseráveis lutavam pela sobrevivência, <u>cépticos</u>, revoltados, em incontáveis multidões...

Quando Ele começou a <u>reverdecer</u> os corações com o Seu Verbo e a apresentar o Seu programa de amor, houve uma tremenda comoção social, qual se um raio que rasgasse a noite escura do oriente ao ocidente, fosse o anúncio de um mundo novo.

Os desesperados e tumultuados procuraram descobrir onde nascera a claridade e disputavam-na.

Toda a mansidão e ternura do Messias eram aplicadas para aplacar-lhes a revolta e dulcificar-lhes os sentimentos violentados.

A Canção entoada na montanha ressoava por toda parte, repetindo a promessa de paz, de justiça, de bondade.

Todos seriam saciados, socorridos, alimentados, felizes.

Não se haviam dado conta, porém, da contribuição pessoal que lhes seria exigida, do esforço transformador que lhes seria imposto.

Em plena primavera emocional que jamais seria vencida por qualquer tipo de outono, Ele surpreendeu os ouvintes e comensais do Seu amor, enunciando:

– *Não penseis que vim trazer paz à terra; não vim trazer a paz, mas a espada – porquanto vim separar de seu pai o filho, de sua mãe a filha, de sua sogra a nora – e o homem terá por inimigos os de sua própria casa.*

A surpresa ainda não alcançara o clímax, quando Ele afirmou:

– *Vim para lançar fogo à Terra; e que é o que desejo, senão que ele se acenda? Tenho que ser batizado com um batismo e quanto me sinto desejoso de que se cumpra?...*

O Senhor da brandura e das mercês, certamente não se tornaria um guerreiro infeliz, um guia belicoso, um vassalo da loucura...

Viera sim, separar a verdade da impostura, dividir as famílias nas quais se Lhe vinculariam uns membros enquanto outros O detestariam.

Lançava para o futuro a advertência que se teria de eleger Deus a Mamom, o dever ao engodo, a aceitação ou a negação ao crime e ao vício...

O fogo purificador da verdade seria ateado, a fim de que o campo semeado e tomado pelo escalracho, tivesse que ser liberado da erva má que, atada em feixes, seria queimada para salvar o bom grão…

O agressivo da linguagem forte era real. Tratava-se de uma decisão difícil, de uma definição de rumos.

Com Ele ou contra Ele, nunca em postura de conveniência.

A união das almas viria da separação das diferenças de anseios e de cuidados.

A permuta das afeições transitórias seria por aquelas de eterna duração.

Os Seus padeceriam para permanecer dignos, perderiam em um momento, a fim de possuírem o Reino de Venturas depois.

A grande separação se encarregaria da plena identificação, defluente da espada que decepa o mal e do fogo que purifica o ser das misérias morais.

As multidões ainda sucedem-se ansiosas...

Os modernos Templos da eterna Jerusalém religiosa do mundo, faustosos, entupidos de coisas preciosas e vazios de Deus, negociam da mesma forma que o antigo, o que foi destruído e não mais reconstruído, no alto da colina, dita sagrada, e a espada permanece erguida para separar o trigo do joio, a fim de que este, também reunido em molhos, seja queimado, e suas cinzas tornadas adubos para futuras searas de abundância.

Espada e fogo!

Amélia Rodrigues

Salvador – BA, 26 de novembro de 2007.

18

EM PLENO MINISTÉRIO

A manhã estava esplêndida.

O Astro-rei vestira-se de ouro e dardejava os seus raios sobre a Terra em expectativa de luz.

Suaves perfumes eram carreados pelos ventos brandos, ao tempo em que discreta musicalidade perpassava pelo arvoredo exuberante.

Tratava-se de um amanhecer especial, que talvez não mais se repetisse.

A *revolução* há pouco iniciada alargava o seu campo de ação, envolvendo maior número de combatentes que recebiam apoio ou que se renovavam emocionalmente, mudando de atitude perante a vida.

Eles, os *revolucionários* da frente de batalha, ainda não se haviam dado conta do movimento que os arrancara dos seus deveres habituais, simples e modestos, para os precipitarem nesse torvelinho de acontecimentos e emoções.

Eram pessoas do povo, sem maiores aspirações, que se contentavam com a rotina a que se entregavam.

Ele surgira, há pouco, inesperadamente, em suas existências e os arrebatara, fazendo que tudo largassem para segui-lO, sem mesmo saberem o porquê ou para quê.

Ainda não se haviam conscientizado a respeito do *Reino* a que Ele se referia.

Alguns sabiam das promessas dos antigos, das profecias, e julgavam que fosse a hora de vê-las cumpridas. Somente que não entendiam como fariam para apressar-lhe a instalação na Terra.

Discutiam, quando sem a Sua presença, e não chegavam a uma conclusão correta que os satisfizessem. Mas confiavam n'Ele e Lhe dariam a vida se lhes fosse pedido, tal a força emocional que os dominava naqueles momentos...

Acontecera rapidamente demais, sem aviso prévio, sem que tivessem tempo de amadurecer reflexões, conforme sucedia em tudo quanto Ele apresentava, fugindo ao habitual, ao diferente do comum.

Naquele mágico amanhecer, após as instruções iniciais e preparatórias, Ele fora terminante ao propor-lhes: – *Restituí a saúde aos doentes, ressuscitai os mortos, curai os leprosos, expulsai os demônios. Dai gratuitamente o que gratuitamente haveis recebido.*[15]

A princípio, ficaram aturdidos.

Deslumbravam-se sempre quando Ele o fazia, mas não acreditavam que fossem capazes de realizar tal ministério, com essa envergadura.

Estranho temor assaltou-os e ficaram aflitos.

15. Mateus, 10: 8 (nota da autora espiritual).

A serenidade d'Ele, porém, acalmou-os.

Ele jamais os defraudara. Tudo quanto dissera, havia feito com naturalidade incomum.

Não havia dúvida de que Ele era o *Filho de Deus* conforme se afirmava.

Suavemente, então, deixaram-se arrastar pelo Seu magnetismo e não apresentaram qualquer interrogação.

Pulsavam-lhes nos sentimentos emoções desconhecidas, enternecedoras, como se fossem crianças ingênuas nos braços do amor.

Depois desse momento, não mais foram os mesmos.

Eram homens ignorantes, que desconheciam as sutilezas do convívio social e religioso. Viviam dos labores humildes e contentavam-se com isso, não se atormentando por ter mais ou conseguir destaque nas comunidades onde residiam. A Natureza pródiga tudo lhes facultava e eles sabiam retirar-lhe o necessário para si e para os familiares, aos quais amavam.

Não eram, porém, Espíritos rudes e brutos.

O corpo amortecera-lhes os recursos de que se encontravam investidos, os valores que armazenaram no curso das reencarnações.

Vieram preparados para aqueles momentos, embora não o soubessem conscientemente.

Ignoravam, certamente. No entanto, algo interior impulsionava-os ao avanço e a atração que Ele exercia, arrastava-os.

Ainda eram assinalados pelas humanas fraquezas, todavia fortaleciam-se na labuta, como ocorre com os minérios que se depuram nas altas temperaturas em que adquirem maior resistência.

Sabiam que, ao entregar-se-Lhe, nada mais os deveria preocupar, porque Ele a tudo previa e provia.

Quase sem o perceberem, começaram a atender os doentes, minimizando-lhes as dores, liberando-os das aflições.

A cada sucesso conseguido tornavam-se mais entusiasmados e encorajados.

Os debates com os obsessos, no entanto, afligiam-nos pela obstinação dos seres apegados ao mal em que se compraziam nas odientas perseguições... Embora confiassem no poder de que se encontravam investidos, temiam-nos, por certo, como efeito das correntes superstições a respeito dos *demônios*.

Os confrontos com esses verdugos da Humanidade eram-lhes penosos, porque, zombeteiros e cínicos, desafiavam-nos, tentavam ridicularizá-los, irritando-os com as farpas que lhes atiravam impiedosamente...

Nada obstante, enfrentavam as suas sórdidas armadilhas e libertavam aqueles que eram mantidos como prisioneiros nos seus enredos.

A morte sempre inspirou respeito, quando não pavor, em face do desconhecido em torno do que haveria ou não logo depois...

Como se encorajariam a arrancar-lhes das sombras misteriosas a que foram atirados nesse reino terrível e ignorado?

Inspirados, no entanto, perceberam que nem todos os *mortos* estavam mortos.

Havia os *mortos* para as questões espirituais, os escravizados ao mundo e às suas imposições, como ocorria com os descendentes de Sadoc, ateus e negadores da imortalidade.

Outros existiam que *morriam* no estado de sono cataléptico em que a vida, porém, não os abandonava.

O Mestre havia-os informado, após receber a notícia da *morte* de Lázaro e após meditar, que ele dormia.

Ao visitá-lo no túmulo da sua casinha em Betânia, despertou-o, chamando-o para que saísse do sono e viesse para fora...

Por fim, havia aqueles que, mortos, somente ressuscitariam em espírito, não mais no corpo...

Ele referia-se, sem dúvida, aos dois primeiros tipos de *mortos*...

Acender a luz da verdade na consciência adormecida e arrancar do grande letargo eram tarefas que poderiam realizar e o conseguiram.

Limpar a lepra dos corpos apodrecidos, ao largo dos dias, tornara-se-lhes um fenômeno natural. Sentiam desprender dos seus corpos a energia reparadora que recuperava os feridos e os imundos.

Não entendiam como isso acontecia, o que, afinal, não era importante. O que interessava eram os resultados felizes.

O Mestre concedera-lhes poderes que teriam de aplicar em favor da expansão do Reino de Deus.

Vendo, seria mais fácil aos incrédulos mudar de opinião.

Experimentando o que neles se operava, mais facilmente os cépticos davam-se conta do que realmente estava acontecendo de inabitual e extraordinário...

...Mas nem todos que se beneficiavam, seguiam as diretrizes para alcançar a plenitude!

...E como a morte real é uma fatalidade inevitável, foram retirados do corpo no seu devido momento, havendo perdido a oportunidade ditosa que lhes facultaria a glória na imortalidade...

...E por isso, prosseguem renascendo e recuperando--se na esteira do tempo.

Teriam que fazer tudo, porém, gratuitamente, porque assim haviam recebido.

Os tesouros dos Céus não têm preço na Terra, nem recurso algum existe que os possa comprar.

Só o amor pode conquistá-los, para que sejam doados.

Na manhã esplendorosa, Ele deu-lhes poder que nunca mais perderam.

Restituir a saúde aos doentes, ressuscitar os mortos, curar os leprosos, expulsar os demônios, tudo, porém, gratuitamente, conforme gratuitamente haviam recebido, permanece sendo o impositivo para ser-Lhe emissário na imensa e sofrida mole humana, que Ele abraçou para proporcionar alegria, saúde e paz.

Amélia Rodrigues

Salvador – BA, 3 de dezembro de 2007.

19

OS JULGAMENTOS

A orquestração para a tragédia encontrava-se melhor afinada. Havia harmonia entre o maestro burlesco e os músicos insensatos, que ensaiaram habilmente a farsa tétrica.

Era-lhes habitual esse tipo de comportamento.

Vivendo dos ressaibos das intrigas, perfídias e traições, e acumulando o azedume que se derivava da insegurança política, uniam-se contra qualquer sombra que supunham pudesse ameaçar-lhes a estabilidade no poder sempre instável.

Qualquer insurreição era sempre afogada em sangue através das armas da impiedade, a fim de atemorizar futuros *nacionalistas* ou fanáticos de ocasião.

Aquele Homem era-lhes mais do que uma ameaça. Intemerato e intimorato, realizava uma revolução arriscada para os seus padrões de covardia, tornando-se, a cada dia, um perigo maior. A Sua força era a Sua fraqueza terrena: sem dinheiro, sem prestígio social, sem destaque na comunidade... No entanto, o Seu fascínio arrastava as multidões, o que fora constatado quando da Sua entrada em Jerusalém, fazia pouco, ovacionado e recebido com as palmas da esperança e da vitória...

Era necessário silenciá-lO quanto antes...

Jerusalém, naqueles dias, regurgitava com dezenas de milhares de peregrinos que vieram de toda parte para as celebrações da Páscoa.

Uma faísca descuidada, no rastilho de pólvora dos problemas humanos ali expostos, e desencadearia um incêndio de proporções imprevisíveis...

Era necessário agir nas sombras, no silêncio da noite, aves de rapina que eram, piores do que os falcões e os abutres...

O prisioneiro foi conduzido à presença de Anás, o astuto ex-sumo sacerdote, que vivia em luxuoso palácio próximo ao Templo que explorava.

Na mesma suntuosa residência, vivia o seu genro Caifás, tão soberbo e cruel, quanto o seu símile e modelo.

Anás era filho de Seth, que também exercera o honroso cargo durante mais de um decênio, havendo sido apeado do poder, quando Tibério César iniciara o domínio sobre o Império. Era, no entanto, a personalidade mais influente do Judaísmo.

Saduceu, portanto, materialista, governava toda uma geração de membros religiosos, mantendo a supremacia por intermédio de Caifás, que o atendia servilmente, a troco do poder e das migalhas que lhe caíam das mãos avaras...

Desse homem dominador, um filho com o seu mesmo nome, posteriormente assassinaria Tiago, o discípulo de Jesus, no local de lapidação no Templo.

Será esse ignóbil ser quem julgará Jesus pela primeira vez.

Idoso, passara a noite praticamente acordado, esperando o resultado do plano terrível.

Os dois se fitaram por primeira vez. O passado apodrecido das religiões e a esperança, o futuro da religiosidade espiritual.

A pompa de mentira e a verdade desnuda.

Com empáfia e astúcia desejava saber se Ele era realmente o Messias, e qual era a Sua Doutrina.

Sem qualquer perturbação, ao ser interrogado, o Filho de Deus redarguiu:

– *Eu tenho falado abertamente ao mundo; eu ensinei continuamente nas sinagogas e no templo, onde se reúnem todos os judeus, e nada falei ocultamente. Por que me interrogas? Pergunta aos meus ouvintes o que lhes falei; eles sabem o que eu disse...*[16]

Era o Senhor que se não perturbava ante a loucura dos servos ingratos.

...E porque nada houvesse conseguido, mandou-o a Caifás.

Caifás governava o poder religioso como sumo sacerdote, e a sua era a história de um farsante aproveitador. Chamava-se José. O seu sobrenome Caifás, também é Cefas, que significa pedra. O atormentado José Pedra recebeu a Doçura para o Seu julgamento, insensível.

Fariseu, primava pela hipocrisia, exaltando a aparência em detrimento da realidade.

Alcançara o poder absoluto, por ser genro de Anás, que o antecedera no cargo, igualmente servil e odiento,

16. João, 18: 20 e 21 (nota da autora espiritual).

como já referido. Através da compra de consciências com as moedas recolhidas nas infames negociações do Templo, podia manter o esplendor no palácio suntuoso em que fossava o comportamento infeliz.

A sua soberba era conhecida, a sua hostilidade a tudo e a todos – a Roma, que o submetia, às demais províncias, que detestava e a grande parte do Sinédrio, que temia – era típica do usurpador infame.

Foi ele quem novamente julgou a vítima sem crime, nesse momento manietado por ordem de Anás.

A longa noite de aflições cedia as sombras lentamente ao dia em vitória de luz.

Nem mesmo os representantes do Sinédrio puderam alterar-Lhe a calma, intimidá-lO.

Nada encontrando que justificasse a punição de morte que planejava, Anás O enviou ao representante de César, Pôncio Pilatos.

Os hipócritas e pérfidos que O conduziram não entraram no Pretório, *a fim de não se contaminarem com as impurezas, pois que, do contrário, não poderiam celebrar a Páscoa.*

Mentir e excruciar aquela vítima indefesa, não os tornavam impuros, mas sim, a sordidez supersticiosa das suas crendices.

Pilatos era um biltre, que se fizera Procurador, representando Tibério César, na Judeia, provavelmente havendo sido um liberto ou seu descendente, tornando--se odiado pelos judeus desde a sua chegada.

Alcançara o poder, graças à sua mulher Cláudia Prócula, que provinha de família distinta em Roma, o que lhe facultara acompanhar o marido àquela conturbada região, o que nem sempre era permitido às mulheres.

Durante dez anos exercera o cargo de maneira inescrupulosa, terminando por cometer graves erros que obrigaram o governador da Síria, Lúcio Vitélio, enviá-lo a Roma, a fim de justificar-se e desculpar-se perante o Imperador, pela maneira hedionda como se comportava. Infelizmente, quando chegou à capital do Império, Tíbério houvera morrido e fora substituído por Calígula, que o mandou para o exílio nas Gálias, onde terminou por suicidar-se.

Odiava os judeus, que também o detestavam.

Por duas vezes tentara impor a imagem do Imperador próxima ao Templo e por duas vezes tivera que recuar, pela força das intrigas judaicas encaminhadas a Roma.

Sentira-se humilhado e nunca perdoaria a afronta.

Surpreendido com a malta perversa e o inocente, logo percebeu a trama odienta de fundo religioso, de ciúmes e de crimes de que eram capazes, indagando:

– *Que acusação trazeis contra este Homem?*

– *Se ele não fosse malfeitor, não o entregaríamos* – responderam, cínicos e hipócritas.

A farsa se ampliava, mas ficaria inconclusa, mesmo depois que os infames triunfassem na mentira e na ilusão...

Pilatos percebeu a trama e mandou que eles mesmos O julgassem segundo a sua própria lei.

Acuado, porém, pela astúcia sórdida dos perseguidores, não teve como fugir à penosa injunção. No íntimo, desejava conhecê-lO, pois que ouvira d'Ele falar. No entanto, a Sua aparência desolada, os hematomas e as marcas das agressões sofridas, a face pálida e dorida, inspiraram desconforto no representante de César, até mesmo certo desprezo, pois que ele primava pelo luxo, pelo excesso das prerrogativas que se permitia.

Mas Ele, no entanto, viera para aqueles terríveis momentos.

Preparara-se, pois sabia que o Seu destino estava selado pelo Amor.

Julgado por Anás e Caifás, somente lhes respondera o indispensável. Eles não tinham condições para conhecer a verdade, tampouco o desejavam...

O Seu silêncio e nobreza perturbaram-nos.

Diante do servo de Tibério, igualmente não lhe concedeu a consideração untuosa que ele se permitia.

A Sua nobreza, entre os trapos e as rosas rubras de sangue, era a condecoração que O engrandecia.

Após algumas considerações o herege n'Ele não encontrou culpa.

Aturdido, sentindo a pressão da malta programada para matá-lO, desejou libertá-lO.

As hienas humanas, porém, desejavam os Seus despojos para banquetearem-se, e por isso, pediram a Sua morte.

Cláudia Prócula, que acompanhava de longe o arbitrário julgamento, mandou informar ao marido que *não se envolvesse naquele processo, porque aquele Homem durante toda a noite a fizera sofrer...*

Ele também sentiu-Lhe o poder.

Subitamente, perguntou-Lhe:

– És Tu o rei dos Judeus?

Jesus, serenamente, respondeu:

– Dizes tu, isso, por ti mesmo, ou foram outros que to disseram de mim?

Zombeteiro, o Procurador respondeu, indagando:

– Porventura sou eu judeu? A Tua própria nação e os principais dos sacerdotes entregaram-Te nas minhas mãos. Que fizeste?

Houve um grande silêncio no imenso recinto tumultuado pela alucinação generalizada.

Com soberania e majestade, Ele redarguiu:

– O Meu Reino não é deste mundo; se o Meu Reino fosse deste mundo, os meus súditos pelejariam, para não ser eu entregue aos judeus; mas, agora, o Meu Reino não é daqui.

O diálogo prosseguiu surpreendente:

– Logo, Tu és rei? – indagou Pilatos.

E Jesus, compassivo, elucidou:

– Tu dizes que sou rei. Eu para isso nasci, e para isso vim ao mundo, a fim de dar testemunho da Verdade. Todo aquele que é da Verdade, ouve a minha voz.

Dominado pelo Seu magnetismo, o Procurador voltou a interrogar:

– O *que é a verdade?*

Ele nada respondeu. Não havia como explicar ao réprobo, ao enganado e enganador, o que é a verdade.

Pilatos informou, então, que n'Ele não via qualquer culpa. Apelou para a razão, justificando que: *Por ocasião da Páscoa, seja solto alguém, referindo-se a Jesus, ante o bandido Barrabás.*

A massa, inflamada pelo ódio e obsidiada pelas forças do mal, bradou:

– Não a este, mas a Barrabás...

O Procurador perturbou-se, e tentou negociar, informando que O mandaria açoitar, punindo-O, e após, libertando-O.

Era um pusilânime, que não tinha força moral para enfrentar os inimigos de todos, inclusive dele, pois que o odiavam...

Após o vergonhoso flagício, um soldado impôs-lhe uma ridícula e espinhosa coroa de urze sobre a cabeça, em deboche, gritando:

– *Salve, rei dos judeus!* – Dando-lhe bofetadas.

Arrastado, ferido, quase desfalecente, foi apresentado:

– *Eis o Homem, ou o que d'Ele resta*!

O crime que lhe atribuíam era religioso e ao Procurador não competia puni-lO por essa razão.

Pôncio Pilatos detestava-lhes a religião fanática e cruel, não podendo, nem desejando imiscuir-se nessa prebenda revoltante.

A massa ensandecida, no entanto, não se contentava, e gritava frenética:

– *Crucifica-O! Crucifica-O!*

Respondeu, aturdido, Pilatos:

– *Tomai-O vós mesmos e crucificai-o; porque eu não acho n'Ele crime.*

Furiosos, responderam, em coro:

– *Nós temos uma Lei, e segundo a nossa Lei Ele deve morrer, porque se fez Filho de Deus...*

Mais assustado, Pilatos voltou a inquiri-lO:

– *Donde és?*

Ante o silêncio profundo, insistiu:

– *Não me falas? Não sabes que tenho poder para Te soltar e poder para Te crucificar?*

A musicalidade sublime da Sua voz ergueu-se, e Ele respondeu:

– *Não terias sobre mim poder algum, se ele te não fosse dado lá de cima; por isso o que me entregou a ti, tem maior poder.*

Era o clímax da coragem e de autodefinição como Filho de Deus.

Pilatos temeu muito mais e pensou em libertá-lO, mas os Seus inimigos, habilmente, encontraram a fórmula final para perdê-lO:

– *Se soltares esse Homem, não és amigo de César; todo aquele que se faz rei, opõe-se a César...*[17]

Pilatos não podia ignorar a acusação. Se silenciasse era sedicioso, estava traindo o Imperador.

Todos aqueles que odiavam Roma, inesperadamente tornaram-se seus defensores, do maldito Império que os esmagava, conforme o consideravam.

A astúcia cruel era aplicada de maneira hábil e inconfessável.

Não havia outra alternativa, e o pústula humano vendeu a alma, declarando:

– *Eis o vosso rei!*

Os assassinos clamaram:

– *Não temos rei, senão César.*

Estava tudo consumado!

Pilatos pediu água, e mergulhando as mãos, para lavá-las, exclamou:

– *Sou inocente desse sangue; isso é lá convosco.*[18]

Os bárbaros, então, gritaram:

---

17. João, 19: 1 a 16.
18. Mateus, 27: 24 a 26 (notas da autora espiritual).

– *O sangue d'Ele caia sobre nós e sobre nossos filhos* – conforme aconteceu através dos muitos séculos, que vieram depois da maquinação hedionda.

Pilatos prosseguiu lavando as mãos... até sucumbir pelo suicídio.

A hedionda patética culminou em altissonante sinfonia de vida para o Justo sem mácula.

As figuras truanescas de Anás, Caifás e Pilatos permanecem ainda insculpidas nas sociedades de todos os tempos desde aquele tempo.

...E Jesus, negado, traído, condenado e crucificado, prossegue vivo, amparando e convidando em silêncio a Humanidade ao amor e à justiça, à paz e ao arrependimento.

Os julgamentos injustos, infames prosseguem, no mundo, mas também a misericórdia espraia-se anunciando a vitória da Verdade.

Amélia Rodrigues

Salvador – BA, 26 de dezembro de 2007.

20

ALVÍSSARAS DE LUZ EM NOITE ESCURA

O atropelo dos acontecimentos terríveis dos últimos dias foi superior às forças daqueles homens simples e sonhadores.

O mestre convivera com eles, por quase três anos, instruindo-os, exemplificando o amor, advertindo-os sobre o que viria depois em forma de padecimentos, mas eles, ingênuos e vítimas do terrível atavismo judeu sobre o Messias poderoso, esperavam que as ocorrências se dessem de forma diferente.

Não estavam preparados interiormente para tudo quanto sucedera.

A entrada triunfal em Jerusalém levara-os ao êxtase, significando-lhes o começo do Reino de Deus com os aparatos terrenos...

Aguardavam que, a partir de então, as alegrias iriam compensar as lutas travadas com os fariseus e sacerdotes, assim como em relação a todos aqueles que se haviam levantado contra eles.

Esperavam que o Triunfador logo anunciasse o Seu plano de governo.

Estavam, pois, expectantes a respeito das glórias terrestres...

Ele informara que poderia derrubar o Templo e reconstruí-lo em apenas três dias.

É certo que o dissera, porém, simbolicamente, em se referindo a outro templo. Não O haviam entendido, realmente.

Intoxicados pela tradição multimilenar, a Boa-nova não os conseguia modificar mentalmente, em razão de adaptarem todos os ensinamentos às antigas ambições israelitas...

Fora, de chofre, que os insucessos se acumularam até a consumação da tragédia na cruz.

A lembrança da horripilante noite daquela quinta-feira, quando Ele solicitara a Pedro, Tiago e João que orassem, no Horto das Oliveiras, porque se aproximava o momento de dor, enquanto Ele velaria, não lhes saía do cérebro.

Aqueles amigos estúrdios foram vencidos pelo sono, e mesmo despertados por Ele, voltaram a mergulhar na inconsciência, enquanto Ele, antevendo os próximos episódios de angústias e aflições, transpirava suor e sangue.

Depois, como esquecer a prisão vergonhosa, naquele lugar em sombras, entregue aos inimigos por Judas, Seu amigo, com um beijo de perfídia, logo depois a atitude de Pedro decepando a orelha de Malcus e sendo repreendido?...

Estranha loucura tomara-os a todos, levando-os a fugir dali, sem mesmo terem para onde ir.

O que aconteceu em seguida, jamais poderia ser imaginado. Viram-nO empurrado pelos legionários e desocupados da odienta Jerusalém, aquela ralé perversa e detestada por todos, sendo levado para um e para outro julgador inclemente e venal, até o instante em que foi condenado à morte para júbilo da turbamulta.

Fora estarrecedora a disputa, quando Pilatos propusera libertar Barrabás, o malfeitor, ou Ele, o benfeitor, havendo sido eleito o perverso, em detrimento d'Aquele que era o Libertador.

...E era a Páscoa!

A Sua morte infamante, caracterizada pelas inenarráveis humilhações, a Sua fortaleza e fragilidade, causaram-lhes pavor, perturbação indescritível.

Pensavam: – *Como Ele se deixara matar? Por que não fulminara os infames julgadores, ou simplesmente não se libertara da cruz? Onde estava Deus, que não salvara o Seu Filho, que somente O honrara?*

Tudo que Ele dissera, belo e comovedor, agora parecia remoto na memória do coração daqueles que conviveram ao Seu lado.

Diversas vezes Ele anunciara que viera para o sacrifício, mas aquele era demasiado.

Chegaram a duvidar da Sua missão, e pensaram que foram ludibriados.

O medo unira-os e recolhera-os no lugar da última ceia.

As sombras adensavam-se, cada vez mais apavorantes.

– *E se os infames agora investissem contra eles, despreparados e medrosos?* – temiam, ansiosos.

Esperavam que as angústias e as ameaças diminuíssem, a fim de voltarem à Galileia, onde estariam em segurança, que, no entanto, nunca mais seria a mesma, depois d'Ele...

José de Arimateia, que simpatizava com Ele, solicitou a Pilatos o cadáver de Jesus.

Não tivera coragem de ir à reunião do Sinédrio por medo de autodenunciar-se.

Agora, quando tudo estava consumado, queria oferecer-lhe sepultamento digno, o que é muito importante para um judeu.

Nicodemos, que também tivera contato com Ele e O estimava, evitou participar do Seu julgamento, para não ter problema de consciência, no entanto, agora não corria nenhum risco, porque Ele estava morto...

As criaturas humanas sempre avaliarão, diante de determinadas decisões, primeiramente os interesses e os perigos, optando pela atitude covarde da abstenção, da ausência, tornando-se, mesmo sem o desejarem, cúmplices do crime que poderiam evitar. Pelo menos, diminuir o número dos seus adeptos na odiosidade...

Pairavam no ar as aflições sem nome.

A cidade assassina – não eram poucas as vítimas da lei romana através da crucificação – estava tumultuada, e os seus governantes ignóbeis e imprevisíveis aplicavam a justiça odienta de Roma.

O Monte da Caveira sempre exibia cruzes com corpos apodrecidos, semidevorados por chacais e outras feras durante a noite, e abutres, durante o dia.

A cidade empoeirada e terrivelmente fétida recebia os ares pútridos do Gólgota.

A sepultura nova recebeu-Lhe o corpo, envolto em linho e ataduras, com os perfumes, áloe e mirra, oferecidos por Nicodemos.

Embora fosse dia, a noite moral apavorante que dos discípulos se apossara, dominava-lhes as mentes e os corações.

Ao terceiro dia, as quatro mulheres, Maria de Magdala, Maria de Betânia, Salomé e Joana de Cusa, foram ao sepulcro...

A saudade d'Ele era-lhes insuportável e o pulsar dos seus sentimentos assustava-as...

A madrugada ainda não vencera as trevas dominantes, quando se acercaram da sepultura e viram a imensa pedra removida, deixando aberta a entrada.

Temeram adentrar-se. E pensaram, angustiadas:

– *Quem a teria movido? Com qual interesse haviam feito aquilo?*

Trêmulas, à medida que a claridade do dia em vitória de luz lhes facilitava a visão, mais se acercaram e, ao entrarem, foram surpreendidas pela presença de um ser luminoso de roupagem alvinitente, ante o sepulcro vazio, que lhes indagou:

– *Por que buscais o Vivo entre os mortos? Ele não vos disse que voltaria ao terceiro dia? Eis que cumpriu a promessa. Ide e anunciai-O aos vossos companheiros.*

Elas saíram emocionadas, geladas de medo e de alegria, e voltaram à cidade, ansiosas, quase a correr.

Maria de Magdala, aturdida, ficou na retaguarda, quando viu alguém, que supôs ser o jardineiro e o interrogou:

– *Para onde levaram o meu Senhor?*

Ele voltou-se, e ela, deslumbrada, ouviu-O chamá-la docemente, como sempre o fazia:

– *Maria!*

– *Rabboni!*

Correu a abraçá-lo, mas Ele a deteve:

– *Não me toques, pois que ainda não subi ao Pai.*

Havia descido ao *Sheol*, em grego *Hades*, na tradição *Inferno* ou regiões infelizes, para resgatar Judas, o atormentado que apressara os acontecimentos e fugira pelo suicídio horrendo...

O Amor fora em busca do infeliz traidor e o guiaria através dos séculos em expiações redentoras até o momento da sublimação na roupagem de Joana d'Arc...

As mulheres chegaram ao reduto em que eles se encontravam e narraram o que lhes acontecera, mas não foram acreditadas.

Era bom demais para ser verdade, naquele momento truanesco. Fora sua imaginação, em que as mulheres são muito férteis, haviam redarguido os amigos.

...E quando Maria de Magdala afirmou tê-lO visto, foi ridicularizada e olhada com ressentimento, pois que não fora ela a obsessa dominada pelas forças do mal?!

Pedro constatara com João, que o túmulo se encontrava deserto, vazio, com o lenço que Lhe sustentara o queixo ao lado e o tecido de linho que O envolvera, amarfanhado no lajedo ao fundo.

Tudo continuava em névoas, até que, após a refeição, quando restava apenas um peixe assado, Ele apareceu, jubiloso, para espanto dos que se encontravam presentes, e para demonstrar que não era um fantasma comum, perguntou-lhes:

– *Que tendes aqui para se comer?*

E assentou-se à mesa, comeu com eles, anunciando-lhes o próximo encontro na Galileia.

A noite horrenda começou a ser devorada pelas alvíssaras da inapagável luz da imortalidade em triunfo.

Nunca mais haveria trevas iguais... Somente a perene Luz da Vida.

Amélia Rodrigues

Salvador – BA, 9 de janeiro de 2008.

21

A PIOR CEGUEIRA[19]

Somente angústia ressumava Tomé, o Dídimo, após os acontecimentos trágicos que culminaram na maldita Colina da *Caveira*, quase às portas de Jerusalém.

Toda a sinfonia de esperanças que lhe enchia a alma sensível transformara-se em melodia fúnebre de dor e de morte.

Sentia-se ludibriado nos seus sentimentos, traído na confiança que depositara n'Ele.

Acreditara até o último instante, com fé abrasadora, certo de que aquele Deus Todo Amor a que Ele se referia com emoção e beleza impediria as armadilhas da perversidade contra o Seu Filho, inclusive, retirando-O da cruz em momentosa demonstração de poder celestial.

Que pai não o faria, mesmo submetendo-se a qualquer sacrifício?!

---

19. João, 20: 24 a 29 (nota da autora espiritual).

Ele se entregara como um cordeiro manso e submisso, sem qualquer reclamação, certamente aguardando que os Seus anjos viessem em Seu auxílio, o que não ocorrera.

Ele fizera tanto!

Os fenômenos realizados comprovavam a Sua procedência, demonstravam-Lhe a grandeza. Todavia, no momento culminante, tudo falhara, acontecendo o sinistro da morte, o inesperado...

Tomé não conseguia entender aquelas ocorrências de significado transcendental, pois que, para elas viera Jesus.

A noite moral, em consequência, que se abateu sobre o discípulo, era povoada por sombras densas e fantasmas apavorantes.

Tomé não se interessava anteriormente pelos tesouros espirituais.

A sua existência simplória desenrolava-se relativamente tranquila. Era quase um céptico em relação à sobrevivência espiritual, ou melhor, não conseguia compreender essa realidade.

Não constituíra família, no entanto, ao ser chamado por Jesus, tudo se modificou na sua vida, aceitando, inclusive, os companheiros como se fossem membros do seu mesmo sangue.

Jesus conseguira enriquecê-lo de fé, de esperança no Seu Reino, de alegria de viver.

Evidentemente, adaptou o conceito à sua concepção de gozo terreno, de justiça em relação aos infelizes, de oportunidades iguais para todos, porém, na Terra...

As sutilezas espirituais escapavam-lhe por serem inabituais ao seu raciocínio.

Pensava que todos aqueles fatos produzidos por Jesus e que O tornavam maior do que todos os profetas eram para demonstrar o Seu poder, fazendo tremer Caifás, Pilatos e o pusilânime Herodes Antipas, os governantes arbitrários e indignos, que Lhe deveriam ceder o lugar em que se encontravam.

Aquelas autoridades sandias teriam que ser substituídas desde as primeiras horas da revolução preparatória do Reino...

Aguardara aquele momento com ansiedade, uma quase desesperação, e tudo acontecera exatamente ao contrário.

Desde o terrível lance no Jardim das Oliveiras, quando Ele se rendeu sem nenhuma resistência àquela matilha humana, pois eram cães alucinados, que o medo o dominou.

Tudo o mais foi imaginação, foram narrativas que lhe chegaram, porque ele não teve coragem para acompanhar o desdobramento das ocorrências. Quis fugir, refugiar-se na solidão em que permanecia...

Nada obstante, disfarçando-se, adentrou-se na multidão e O seguiu até o momento último.

Nesse estado de espírito foi que tomou conhecimento da ressurreição, cujas testemunhas eram a ex-obsidiada e os companheiros saudosos, quase em delírio de expectativa para vê-lO.

Ao receber a notícia, fremiu de ira. Acontecera exatamente quando ele se encontrava ausente, o que lhe confirmara a ilegitimidade do fato.

– *Não podia acreditar, mesmo que O visse...* – reflexionava em amargura.

Os olhos enganam e, muitas vezes, as pessoas veem o que querem enxergar.

Para ele deveria acontecer de maneira palpável, mediante o contato físico.

Além de ver-Lhe as feridas dos pregos, deveria colocar a mão na chaga produzida pela certeira lança arrasadora...

Tomé era vítima da cegueira mais grave: a da alma, que dilacera o coração.

O cego dos olhos pode imaginar e conceber na mente, mas o cego do espírito nega-se a pensar, sequer, na remota possibilidade de algo existir ou acontecer, conforme se narrava.

O primeiro, às vezes, nega porque não visualiza, mas o outro não pretende enxergar, nega-se a ver.

O mundo está repleto de cegos do espírito, aqueles que apalpam e apertam coisas, que abarcam as posses, que se comprazem com o vinho do prazer espúrio que lhes corre nas veias e artérias do sentimento...

Há também a cegueira dos néscios e dos que se jactam de sábios, dos esbirros dos poderosos e dos que se apresentam como tal, e que se enganam em relação à precariedade das suas forças... Há, ainda, os insolentes e astutos que se acreditam portadores de recursos que se lhes escasseiam, dos soberbos e fátuos que a tudo negam, quando não lhes convém acreditar, ou simplesmente não desejam que se caracterize pela realidade.

Sobejam religiosos hipócritas, literatos presunçosos, artistas embriagados pela fantasia, que também são vítimas dessa estranha cegueira, gritando alto a sua recusa, a sua descrença na ressurreição de Jesus.

Acreditam, isto sim, que o Seu corpo foi roubado pelos aturdidos discípulos, como fora propalado por testemunhas compradas pelo Sinédrio, para evitar que surgisse o mito do Seu retorno...

Não têm provas e creem. No entanto, o testemunho daqueles que O viram não lhes é válido.

Passaram-se oito dias desde a sua aparição aos amigos e todos estavam reunidos novamente, inclusive Tomé, o gêmeo.

Subitamente, como uma aragem perfumada que se adentrou na sala, embora a porta estivesse trancada, ouviu-se também a Sua doce voz saudando:

– *Paz seja convosco!*

Era Jesus redivivo!

Ante o assombro, explodindo em todos a alegria, o Amigo abandonado e quase desprezado relanceou o olhar pelo recinto e deteve-o em Tomé.

Acercou-se-lhe e, suavemente, propôs-lhe:

– *Vê as chagas, toca-as...*

Abrindo a túnica alvinitente, acrescentou:

– *Põe toda a tua mão dentro da ferida no meu peito.*

Atordoado, afogando-se em convulsivo e inestancável pranto, Tomé, o cego de espírito, rendeu-se, exclamando:

– *Eu creio, meu Senhor!*

– *Crês porque viste* – respondeu-lhe o Mestre. – *Bem-aventurado, no entanto, é aquele que não viu e creu...*

Bem-aventurado! Ele dissera...

Somente agora ficava concluída a sinfonia do monte, seria essa a última bem-aventurança...

Despertando para a verdade, o Dídimo renovou-se, compreendeu qual era o Seu Reino e deu-se-Lhe integralmente a partir de então.

Após a terrível noite em que se debatera em pesadelos hórridos, surgira a madrugada do interminável dia da ressurreição.

Tomé, o Dídimo, consciente da necessidade de espalhar a Mensagem da imortalidade ao mundo, entregou-se a Jesus de tal maneira, que o levou à Pérsia e à Índia.

Na Índia, iniciou o ministério sobre o Reino incomparável que se encontrava ao alcance de todos que o desejassem conquistar.

Assassinado a flechadas, tornou-se um exemplo de abnegação e de amor. No entanto, ficou imortalizado como aquele que somente acredita se ver, se tocar.

Felizes, porém, são todos aqueles que se inebriam nos aromas do amor que se exteriorizam de Jesus e vitalizam as vidas.

Ele estava na sombra e saiu à luz, então enxergou a verdade.

Amélia Rodrigues

Salvador – BA, 14 de janeiro de 2008.

22

O ENCANTO SUBLIME DO AMOR[20]

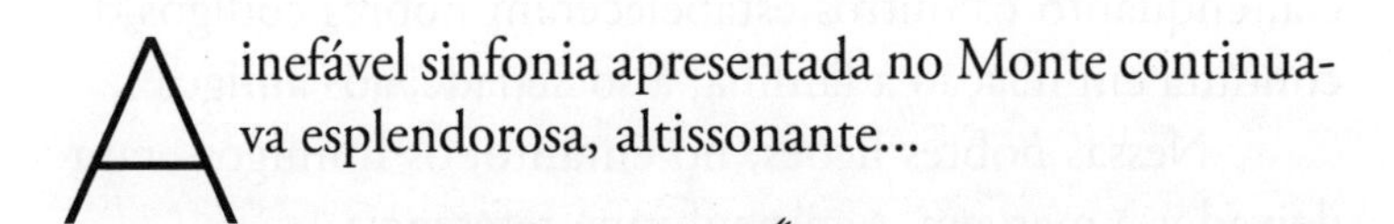

A inefável sinfonia apresentada no Monte continuava esplendorosa, altissonante...

Os inimigos de Jesus em todos os tempos sempre procuraram inculpá-lO, afirmando que Ele nada houvera trazido de novo à sociedade, sendo um simples repetidor do que já fora dito.

Referem-se, fâmulos que são do cepticismo e da indiferença, que pensadores eminentes e fundadores outros de seitas religiosas do passado, foram os verdadeiros autores dos pensamentos de que Ele se apropriara.

Na falta de argumentos mais sólidos para combatê-lO, apelam, insensatos, para a fantasia, o recurso da imaginação pobre de artifícios.

---

20. Mateus, 5: 43 a 48 (nota da autora espiritual).

Novos fariseus e saduceus pusilânimes, dispõem de tempo e de astúcia para deturpar todas as informações que podem chocar-se contra a sua conduta asquerosa.

Recorrendo-se, porém, à História, em suas páginas mais formosas, antes d'Ele, podem-se encontrar conteúdos literários e poéticos ricos de beleza e sabedoria, originados em muitos daqueles que O precederam, obviamente na condição de preparadores do Reino que Ele viera instalar na Terra.

Desde o sábio chinês Me-Ti, que recomendava o amor, a gentileza, a bondade para com todos, como recurso em favor de uma vida feliz, a Fo-Hi, a Lao-Tsé e Confúcio, especialmente o último, que recomendava a vivência do amor filial, assim como o uso da benevolência, enquanto os outros estabeleceram nobres códigos de conduta em relação à família, à sociedade, aos amigos...

Nessas nobres lições, no entanto, os inimigos eram deixados à margem, sem nenhuma referência.

Zaratustra, na Pérsia, igualmente orientou o seu povo a respeito da honradez, do respeito às leis, ao amor entre os familiares e amigos, a ação da bondade em relação àqueles que constituíam os seus afetos.

O príncipe Siddartha Gautama, no imenso amor a tudo e a todos os seres sencientes, prescrevia o amor aos inimigos, a fim de ser superado o sofrimento, mergulhando-se, mais tarde, no Nirvana, no *Aniquilamento*.

Moisés e os profetas referiram-se ao amor apenas aos familiares, aos amigos, aos membros da mesma grei religiosa, com desprezo pelos gentios e principalmente o revide aos inimigos. Posteriormente, à medida que a legislação mosaica evoluiu, surgiram as primeiras propostas em favor dos estrangeiros, que deveriam ser tratados com benignidade, como se também pertencessem à sua raça, isto, porém, em memória do período em que os judeus estiveram escravos no Egito, sendo, portanto, estrangeiros lá...

Na mitologia grega, por exemplo, Zeus era o protetor dos estrangeiros e de todos aqueles que passavam pela Grécia, e a maioria dos filósofos não tinha a menor preocupação com o amor.

Sócrates, Platão e Aristóteles, no entanto, sugerem que se tratasse bem os inimigos, não lhes revidando mal por mal, apesar disso, estabeleciam que os criminosos devessem ser julgados conforme as leis vigentes, aplicando-se-lhes a punição que merecessem.

No panteão dos deuses de todos os povos, a vingança em relação àqueles que se tornavam inimigos, sempre teve um papel relevante, desde que os deuses confundiam-se muitas vezes com as criaturas humanas no seu comportamento apaixonado.

O amor era desconhecido na Antiguidade, por tratar-se de uma conquista espiritual de alto significado, que somente alguns missionários, então, possuíam.

O amor era fruto dos interesses sórdidos, das paixões sexuais, do protecionismo aos membros do clã em detrimento de todas as demais criaturas, todo feito de egoísmo e de volúpia.

Ninguém, porém, como Ele amou.

Não Lhe bastava o amor, mas também o perdão ao inimigo, bem como o esforço para fazer-lhe todo o bem, na razão inversa do mal recebido.

As criaturas não compreendem que os maus, os inimigos são doentes em Espírito, quase cadáveres que exalam decomposição moral. Ambicionam o que não têm, e quando não o conseguem, acusam e ameaçam, caluniam e perseguem aqueles com quem não podem competir de maneira elevada, ou não simpatizam.

Não merecem revide, antes necessitam de socorro que se negam receber.

– *Tendes ouvido que foi dito: amarás o teu próximo, e aborrecerás o teu inimigo.*

Fez uma pausa muito suave, e dando uma entonação de ternura à voz melodiosa, exclamou:

– *Eu, porém, vos digo: Amai aos vossos inimigos, e orai pelos que vos perseguem; para que vos torneis filhos do vosso Pai que está nos céus; porque Ele faz nascer o Seu Sol sobre maus e bons, e vir chuvas sobre justos e injustos. Pois, se amardes aos que vos amam, que recompensa tendes? Não fazem os publicanos a mesma coisa? Se saudardes somente aos vossos irmãos, que fazeis de especial? Não fazem os gentios também o mesmo? Sede vós, pois, perfeitos, como vosso Pai é perfeito.*

O silêncio fez-se profundo, ouvindo-se apenas as onomatopeias da Natureza em primavera festiva.

Encerrava-se a canção incomum.

Os ouvintes não podiam imaginar a revolução que Ele propunha nesse discurso, mediante *a morte do homem velho*, dos seus conceitos morbosos e cruéis, para dar lugar *ao homem novo*, renascido, iluminado pela inextinguível chama do amor.

O amor jamais houvera sido exaltado a tal ponto.

Tolerar o inimigo, suportar-lhe a infâmia, não revidar-lhe o mal que fazia com outro equivalente, já significava um esforço, um sacrifício quase impossível de ser realizado.

Amá-lo, porém, era demasiado, ultrapassava todos os limites da compreensão do povo sofredor.

O amor, no entanto, é bênção de Deus, que permite ao ser humano adquirir a perfeição que lhe está destinada, tomando o Pai como modelo, certamente inalcançável.

As emoções defluentes do amor produzem paz naquele que o experiencia e especial clima de ternura propiciadora de júbilos internos profundos.

É normal pensar-se no revide ao mal, no entanto, essa reação vincula a vítima ao seu perseguidor, transforma-se em tóxico mental a envenená-lo lentamente.

Quando se consegue perdoá-lo, rompem-se os grilhões da perturbação, mas quando se ama esse algoz, faz-se com que ele se erga do abismo de si mesmo. Todavia, é necessário fazer mais: retribuir-lhe com o bem todo o mal que ele engendrou e produziu.

Ninguém como Jesus, para fazê-lo em totalidade de compaixão, conforme ocorreu durante a Sua existência terrestre, compreendendo os Seus adversários, e no momento final, na cruz, a todos perdoando de Sua parte e intercedendo ao Pai para que os perdoasse também, na infinita ignorância e crueldade em que se encontravam.

Aceitou o beijo da traição de um amigo, indo buscá-lo depois da própria morte nas regiões abissais das trevas para onde se arrojara covardemente. Entendeu a negação de outro amigo, por três vezes, a quem apareceu vivo, envolvendo-o em afeição profunda. Não se ressentiu com o abandono de quase todos aqueles aos quais se dera e com quem convivera em família especial, que fugiram amedrontados ante o Seu testemunho...

Como se não bastasse tudo isso, voltou a sustentá-los, quando abatidos e temerosos, tornando-os mártires e heróis incomuns, numa época de selvageria e primarismo.

Os poemas que cantou em palavras não constituem uma repetição de algo antes enunciado, embora muitos dos Seus conceitos já houvessem chegado à Terra, a fim de preparar-Lhe o advento.

A melodia com que foram enunciados, a vivência de todos eles, ninguém lograra experienciar como Ele o realizou.

As aragens amenas e perfumadas que perpassavam pela multidão em êxtase, naquele sublime dia, não mais repetiriam a música dos Seus lábios ou abençoariam outros ouvintes como aqueles, que deveriam seguir futuro afora, levando a Mensagem à posteridade...

Somente o amor, portanto, para sublimar o ser humano, apagar as nódoas da inferioridade ancestral, dignificá-lo.

Amor, porém, em plenitude.

Certamente, inicia-se como uma fagulha insignificante, embora, na sua pequenez, ateie um incêndio.

Exercitando-se a tolerância e a compaixão pelo próximo infeliz, instala-se no íntimo a amizade, que socorrida pela benevolência e compreensão desata os pródromos do amor adormecido, proporcionando-lhe plenitude na etapa final do processo.

– *Ouvistes o que vos foi dito...*

– *Eu, porém, vos digo...*

A autoridade de Jesus, imensurável, deriva-se do Seu amor às rebeldes criaturas de todos os tempos.

O sermão inolvidável vem ecoando nos passados quase dois mil anos, lenindo as ulcerações físicas e morais dos desesperados, erguendo os caídos e sem esperança, e retirando das traves invisíveis todos aqueles que se permitiram crucificar nos vícios e nas paixões inferiores que cultivaram por prazer.

– Eu, porém, vos digo: amai aos vossos inimigos e fazei-lhes todo o bem possível.

Não há alternativa para a conquista da felicidade, senão através do amor.

Amélia Rodrigues

Salvador – BA, 16 de janeiro de 2008.

23

SUBLIMES TESTEMUNHOS[21]

Um ministério daquele porte, conforme apresentado por Jesus, é de incomparável significado, exigindo abnegação que se transforma em sacrifício, quando necessário, da própria existência física.

A construção de um reino de amor e de plenitude, no deserto dos sentimentos, assim como no charco das paixões, é de invulgar esforço, impondo luta contínua e denodo incessante.

Ao trabalho de transformação interior para melhor, superando as más inclinações que remanescem dos vícios profundamente arraigados no Espírito, há o enfrentamento com a dissolução dos costumes e o acumpliciamento com as perversas maquinações do egoísmo e da crueldade.

O Mestre, com a Sua visão especial, penetrando no futuro da Humanidade, sabia dos exaustivos labores que

21. Marcos, 13: 1 a 37 (nota da autora espiritual).

se reservavam a todos quantos Lhe fossem fiéis, irrigando a aridez do terreno moral com o próprio sangue, muito do agrado dos primitivos e incréus adversários da harmonia.

Desse modo, seguindo-Lhe as pegadas, os nobres discípulos do Seu colégio de amor, cada um a seu turno, foram chamados à confirmação dos seus elevados propósitos, sendo sacrificados através de bárbaros mecanismos pelos alucinados dominadores da ilusão, que também foram devorados pela morte em situações deploráveis, prosseguindo mais enlouquecidos além do túmulo...

Estêvão, o mártir, foi o primeiro a experimentar o apedrejamento até a morte, pelo *crime* de ser fiel servidor de Jesus e atender aos infelizes que nada possuíam na *Casa do Caminho*.

Logo após, desencadeadas as perseguições insanas pelo atormentado rabino Saulo de Tarso, os sofrimentos experimentados pelos servidores do Evangelho não tiveram limite.

Era inevitável que os discípulos também experimentassem os rudes padecimentos, as cruas injunções das forças do mal.

No governo infame de Agripa, recrudesceram as perseguições. Um pouco antes, porque vivenciassem o Evangelho na infeliz Jerusalém, assassina dos profetas e hedionda criminosa na sua infame perseguição e morte de Jesus, os discípulos Pedro e João, *cuja sombra caindo sobre os enfermos curava-os*, foram aprisionados, e porque não lhes fossem encontradas culpas, como se isso fosse importante, conseguiram a liberdade. Essa, no entanto, foi de efêmera duração, porquanto novamente foram presos e, dessa vez, flagelados, experimentando a agonia das chibatadas, e sendo-lhes imposto que abandonassem os labores, o que seguramente não atenderam...

No ano 42, o herdeiro de Herodes mandou ceifar a vida de Tiago (Maior), o devotado irmão de João, o futuro evangelista, a golpes de espada, conforme se refere Flávio Josefo e os amigos testemunharam. De imediato, Pedro foi conduzido ao cárcere, mais uma vez, em face da sua rebeldia por não se submeter aos absurdos impositivos dos devassos.

Posteriormente, no ano de 62, o outro Tiago, cognominado *o justo*, foi atirado de um terraço do Templo e assassinado a pedradas, ante a algazarra dos lobos humanos famélicos de desgraças.

Alongou-se a temerária perseguição, agora na capital do Império, quando Cláudio, o devasso e louco, no ano 50, mandou ao exílio, expulsando de Roma, todos os judeus cristãos.

As desconcertantes perseguições aumentaram, infelizes, como reação às conversões de patrícios e nobres romanos, qual ocorrera com Pompônia Grecina.

Durante a governança hedionda de Domício Nero, o matricida, uxoricida e assassino comum, após o incêndio da cidade, transferiu a responsabilidade do crime inominável aos discípulos de Jesus, e tiveram início sistemático as crudelíssimas perseguições com toda a fúria da plebe miserável e do patriciado indiferente aos destinos humanos.

Especializaram-se em técnicas de morte, desde os bárbaros espetáculos no circo em que os cristãos eram atirados às feras, ou costurados em peles de animais, a fim de serem devorados pelos cães, aos postes untados de breu, logo incendiados, para iluminarem as avenidas da cidade pecadora, por onde passeavam os indigitados, aos mais perversos processos elaborados pela loucura...

Enquanto aumentavam as conversões em toda parte no Império, mais terríveis faziam-se as vinganças, inúteis, porém, se desejavam silenciar a verdade, transformando o martírio em desejo incontido por aqueles que se entregavam a Jesus.

Seguindo a triste trajetória histórica, Pedro foi crucificado de cabeça para baixo, nos pântanos vaticanos, enquanto Paulo era decapitado nas *águas salvianas*...

Nas paisagens gloriosas da existência do apóstolo das gentes, podem-se anotar todos os testemunhos que padeceu, desde as flagelações impostas pelos judeus por cinco vezes diferentes, às aplicadas pelos romanos através de virgas dilaceradoras. Foi levado ao cárcere cerca de sete vezes, sofreu três naufrágios, e, na cidade de Listra, onde adquiriu inimigos poderosos na Sinagoga, experimentou o apedrejamento até ser considerado morto...

Os demais discípulos, todos eles experimentaram os dolorosos testemunhos à fé que se tornou imbatível, atravessando dois milênios e permanecendo como base estrutural para uma futura sociedade justa e digna.

Tomé, o homem que duvidava e teve a coragem de entregar-se-Lhe em totalidade, morreu sob flechadas na Índia, André foi também crucificado em Patras, assim como crucificados Simeão Zelota e Matias, não escapando Bartolomeu, igualmente pendurado numa cruz na Armênia...

João, no entanto, que não deveria provar de morte bárbara, ficou para denunciar os crimes, para narrar-Lhe a vida incomparável, enfrentar e desmascarar os mistificadores que vieram depois d'Ele, despertar as consciências adormecidas em Éfeso e em Patmos, símbolo vivo e testemunha incomparável...

Seu legado à posteridade é dos mais preciosos documentos da veracidade dos Seus feitos e da Sua vida.

Jesus, porém, falara da desolação, informando, no *Sermão profético*, como seriam os dias trágicos porvindouros à Sua morte e ressurreição, quando no Templo *não ficaria pedra sobre pedra que não fosse derribada*, assim como da transitoriedade do Império e da perversidade de Israel...

Céstio Galo, em 66, comandando quarenta mil homens, sitiou Jerusalém e, encontrando resistência imprevista, retirou-se, quando, então, Vespasiano, *o Conquistador*, viajando a Roma para assumir a governança imperial, delegou a seu filho Tito a tarefa de exterminar Jerusalém. O impiedoso e audaz guerreiro, a partir de 67, conquistou a Galileia, prosseguindo em contínuas batalhas até acercar-se de Jerusalém, sitiá-la e reconquistar a Torre Antônia, anteriormente quartel das tropas romanas. As lutas fizeram-se tirânicas mesmo entre os zelotes que se entredevoravam na ânsia do poder, especialmente João de Giscala, que ocupava o Templo, e Simão de Geraza, que dominava a cidade baixa, em incompreensível alucinação. A fome e o horror dizimavam as vidas, enquanto aqueles que podiam fugir buscavam refúgio fora da cidade, até que, no dia 10 de agosto de 70, o Templo foi tomado, incendiado, depois de destruídos os seus tesouros e profanado o seu santuário pela soldadesca enlouquecida. A rendição total aconteceu um pouco mais tarde, em setembro...

Foi então decretada a Diáspora... Alguns sobreviventes foram levados a Roma para os espetáculos do circo, como espólios vivos da vitória retumbante, outros foram vendidos como escravos, outros crucificados...

Israel, ingrata e injusta, experimentou nas *carnes da alma* a desolação e o efeito da sua perversidade...

A sublime profecia do Mestre, porém, prosseguiu, iniciando-se, quando a célebre *paz de Augusto* foi interrompida a partir do imperador Nero, após a vitória dos bretões que derrotaram os romanos. A seguir, partos, armênios, siríacos, gauleses sublevaram-se e ameaçaram o então invencível Império romano.

As legiões enfurecidas nomearam Galba imperador e avançaram para Roma, exigindo a fuga de Nero, que terminou por suicidar-se, enquanto o seu substituto trouxe a espada destruidora.

Em diversas partes do mundo as legiões elegeram os seus comandantes, à revelia do Senado e do povo; os assassinatos multiplicaram-se, e Otão, depois do assassinato de Galba, assumiu o poder, por pouco tempo, porém, logo se suicidando.

As tragédias não cessaram... As invasões repetiram-se, e o Império cambaleou, estourando guerras em toda parte, assumindo o poder os loucos terríveis, quais Calígula, o desvairado, logo sucedido por Cláudio, o insano e devasso.

Fenômenos sísmicos e calamidades espraiaram-se incontroláveis por todo o Império em dissolução, culminando nos terríveis terremotos, erupções vulcânicas, quais as do Vesúvio que soterrou cidades inteiras...

O sublime vaticínio de Jesus cumpriu-se até a última letra, antes mesmo que passasse a Sua geração, conforme o profetizara.

Mas não se limitou apenas àquele período, estendendo-se pelos tempos além do tempo, até o momento da implantação do Seu Evangelho de amor nos corações e a fraternidade entre as criaturas da Terra.

Ainda hoje sucedem, e a geração de Espíritos que então se encontrava reencarnada e agora retorna, acompanha, expectante, os acontecimentos anunciadores da Era Nova.

De igual maneira, todos aqueles que O desejam servir e foram convocados para a disseminação do Seu Evangelho, ainda hoje, não se poderão furtar aos nobres testemunhos de amor, em forma do sacrifício das paixões inferiores, da superação das tendências perversas e insanas, das lutas íntimas, de modo a suportar os enfrentamentos que agora se apresentam de maneira diversa, não, porém, menos severos.

É natural que assim aconteça, porque o *Reino de Deus*, não vindo com expressões exteriores, instala-se no âmago do ser, iluminando-o e libertando-o de todas as amarras que o retêm no jugo da inferioridade.

– *Não passará esta geração, sem que todas essas coisas aconteçam* – Ele afirmou sereno e profundo.

Vinte séculos depois, os Neros, Cláudios, Galbas, Otões sucedem-se no mundo das ambições devorados pela própria insânia, enquanto os fiéis discípulos da Verdade oferecem testemunho e suportam enfrentamentos, felizes e confiantes no futuro que os espera além da forma física...

Amélia Rodrigues

Salvador – BA, 1º de fevereiro de 2008.

24

JOSÉ DE ARIMATEIA: O AMIGO DISTANTE

O Sinédrio, ao tempo de Jesus, era a mais alta corte de Israel, onde se administrava a Justiça, baseada no conhecimento e na interpretação da *Torá*, constituída pelos cinco livros básicos do Mosaísmo, também conhecidos como a *Lei de Moisés*. Essa Lei era escrita ou fazia parte da tradição oral, simbolizando a herança de todo o povo hebreu, naquela ocasião representando os seus valores mais elevados ante a dominação romana.

Era constituído por 71 membros, seguindo a tradição de que Moisés governara o povo no deserto, auxiliado por 70 anciãos. Representava, então, durante o período mosaico e posteriormente a eleição de representantes da nobreza clerical, bem como das famílias mais valorosas, especialmente durante o período denominado persa, mais ou menos entre os séculos V e IV a.C., o poder soberano da raça judia.

Anteriormente, era conhecido como *gerousia* ou conselho dos anciãos, passando a ter a denominação atual a partir de Hircano II, que o presidira, sendo igualmente sumo sacerdote, embora de origem asmoneia.

Era também conhecido como *Sanhedrin* em hebraico ou *Synedrion*, em grego, significando *assembleia sentada* ou *conselho*, porém constituído por apenas 23 juízes, que deveria existir em cada cidade, sendo o mais importante, o *Grande Sinhedrin*, o de Jerusalém com os seus 71 membros.

Invariavelmente, os seus integrantes sentavam-se em semicírculo para ouvir e tomar decisões, sempre as mais importantes.

Quando da ascensão de Herodes, o *Grande*, que também não era judeu, mas asmoneu, em face da sua prepotência, censurado por essa corte, para demonstrar o seu poder, mandou matar quarenta e cinco dos seus membros, que foram substituídos por outros que se lhe serviam como bajuladores, perdendo algo da dignidade tradicional.

No período da dominação romana, manteve, quanto possível, as suas características de referência ao julgamento das funções civis e religiosas, na Judeia, embora houvesse ódios recíprocos entre os conquistadores e os conquistados, não possuindo o direito legal de decretar a pena capital, honra tão somente atribuída ao governador indicado por César, igualmente romano, denominado *prefectus*.

Por essa razão, Jesus teve que passar por esse tribunal, antes de ser encaminhado a Pôncio Pilatos, a quem se exigiu fosse-Lhe aplicada a pena de morte...

Dissolvido por volta do ano 358 d.C., somente foi reconstituído a partir de outubro de 2004, quando um excelente grupo de rabinos e sacerdotes das diversas comunidades israelitas conseguiram reestruturá-lo.

❧

José, nascido em Arimateia, era juiz, pertencia ao Sinédrio, participara do julgamento de Jesus, embora fosse contra as acusações que Lhe imputaram, mas não se atreveu a defendê-lO.

Diversas vezes é citado nos Evangelhos, como Seu discípulo, porém, discreto, distante, embora afetuoso.

Formado nos moldes vigentes, era portador de um caráter reto e grave, mantendo-se algo indiferente à degradação moral, que tomara conta da alta corte e refletia-se no Templo, onde funcionou por largo período, que perdera a singularidade de santuário para transformar-se em rendoso comércio de negócios cambiais e de animais para os holocaustos...

Portador de fortuna expressiva, era pai zeloso, ambicionando para o filho a continuação dos seus encargos e do cargo na administração dos bens, das massas e do país, depois que se libertasse do Império romano.

Residia em faustosa mansão nas cercanias do Templo e desfrutava de respeito, de consideração pelos seus pares.

À semelhança de Nicodemos, que também amava Jesus e a quem o Mestre concedera extraordinária entrevista, interessava-se honestamente pelas leis, que observava com escrúpulos, aguardando, como todos os judeus, a chegada do Messias, do Libertador do seu povo...

O silêncio celeste que pairava sobre Israel já durava quase cinco séculos, fazendo-se demasiadamente longo para um povo acostumado às comunicações espirituais.

Notícias desencontradas, no entanto, ora fornecidas por astrólogos que consultavam os sinais celestes e vaticinavam acontecimentos buscando interpretá-los, informavam que o Enviado já se encontrava entre eles...

Por outro lado, informações apresentadas por estrangeiros que visitaram o país procurando pelo Grande Rei, durante o período de Herodes, o *Grande*, que receando ser substituído no trono, motivara a terrível matança de todos os meninos com menos de dois anos de idade, em cuja carnificina perecera o seu próprio filho, sugeriam acontecimentos dantes jamais vistos, desse modo, iniciando a Grande Era do Messias...

José de Arimateia acreditava, anelava por encontrá-lO.

Quando Jesus, aos doze anos, confundira os doutores do Sinédrio, num dos átrios do Templo, em Jerusalém, ele estava lá, interrogando-se, se aquele jovem não seria o Esperado?!

A sabedoria que Ele revelava, confundindo alguns dos mais hábeis e ardilosos sofistas, impressionara-o profundamente.

Ele guardou, por longos anos, as impressões daquele dia inesquecível, e de alguma forma, desde então, O amou.

Posteriormente, quando as informações trazidas pelos espiões do Sinédrio, que se multiplicavam em toda parte como aves de rapina odientas, falavam sobre os prodígios realizados por aquele Rabi galileu, de quem *o Batista* dizia ser apenas *o preparador dos caminhos e não ter dignidade sequer de amarrar-Lhe as correias das sandálias,* anelando *diminuir, para que Ele crescesse*, o rabino de Arimateia ficou vigilante e buscou conhecê-lO, fascinando-se com a Sua grandeza moral e sabedoria ímpar.

As ocorrências que O envolviam, os procedimentos que executava, através das curas prodigiosas, das revelações extraordinárias, dos comportamentos incomuns, comprovavam-lhe estar diante do Messias.

Escutou-Lhe os ensinamentos, sensibilizou-se com as Suas palavras e ficou fascinado pela maneira como Ele atraía as multidões e as conduzia com sabedoria e bondade.

Não pôde deixar de O amar!

Tornou-se-Lhe discípulo, porém, *secretamente, porque tinha medo dos judeus* (João, 19: 38).

Mas não era único, conforme acentua o *discípulo amado*, pois que: *Ainda assim, muitos líderes dos judeus creram n'Ele. Mas, por causa dos fariseus, não confessavam a sua fé, com medo de serem expulsos da sinagoga; pois preferiam a aprovação dos homens à aprovação de Deus* (João, 12: 42-43).

Quando tomou conhecimento dos ignóbeis planos do Sinédrio, após a expulsão *dos vendilhões do Templo* por Jesus, que irritara os fariseus e sacerdotes, levando-os ao paroxismo do ódio, com medo de perderem os fabulosos lucros que mais os enriqueciam, e agora Lhe desejavam a morte, simplesmente ficou estarrecido.

À medida que os acontecimentos se precipitaram, culminando com a traição de um amigo e o julgamento sumário a que Ele fora submetido no Sinédrio, ele, embora votando contra, nada mais pôde fazer para defendê-lO.

Conhecia aquelas víboras humanas e temia-as, preferindo observar os acontecimentos e acompanhá-lO a distância...

O Seu destino estava selado desde muito antes e Ele o sabia.

Toda a trama fora organizada para o terrível desfecho através do pusilânime Pilatos, que lhe decretaria a morte infamante, embora tentasse evitá-la...

Quando se consumou a tragédia, ele não trepidou em *solicitar a Pilatos que lhe permitisse tirar o corpo de Jesus da cruz,* o que lhe foi permitido, *acolitado por Nicodemos, aquele que anteriormente viera ter com Jesus à noite, e que foi, levando cerca de cem libras de um composto de mirra e aloés. Tomaram, pois, o corpo de Jesus, e o envolveram em lençóis (que ele levara), com aromas, como é de uso entre os judeus na preparação para o sepulcro. No lugar onde Jesus fora crucificado, havia um jardim, e neste um sepulcro novo, no qual ninguém tinha sido ainda posto. Ali, pois, por causa da preparação dos judeus, e por estar perto o túmulo, depositaram o corpo de Jesus* (João, 19: 38-42).

Enquanto os amigos fugiram com medo, aqueles discípulos discretos e distantes apareceram e assumiram as responsabilidades, aceitaram os desafios, correram os riscos...

Como era uma sexta-feira, havia o grave perigo de o corpo do Mestre ficar exposto na cruz, a partir do início do *shabbath*, somente sendo retirado ao terminar o dia do repouso, já em decomposição. Outrossim, era comum deixarem os corpos crucificados expostos às intempéries, aos abutres e aos chacais, e isto não poderia suceder com Aquele que é *a Luz do mundo.*

José de Arimateia despojou-se de uma das grandes honrarias da tradição, que era o sepulcro novo, que ofereceu ao Mestre, qual interrogou João, 19: 4, oferecendo-lhe *um sepulcro novo no qual ninguém tinha sido ainda posto?*, concedendo-lhe um enterro digno, e, conforme profetizara Isaías, 53: 9, que Ele estivesse *com o rico... na Sua morte.*

Nessa conjuntura, cumpria-se o que fora escrito antes d'Ele, anunciando-O como o Messias.

José de Arimateia não fruiu a grandeza do convívio com o Mestre, enquanto os Seus outros discípulos sim, no entanto, quando todos O abandonaram ele acercou-se e desfrutou da felicidade de sepultá-lO com dignidade. Não lutou para que Ele fosse poupado, mas defendeu-Lhe a memória concedendo-Lhe a máxima honraria no rumo da imortalidade.

Ainda hoje existem muitos Josés de Arimateia, que preferem Jesus morto, a fim de homenageá-lo, ao incomparável Rabi vivo e triunfante!

Amélia Rodrigues

Salvador – BA, 11 de fevereiro de 2008.

25

MISERICÓRDIA QUERO[22]

Colocando as bases iniciais de segurança do Seu Reino na Terra, o Mestre enfrentava os primeiros desafios humanos com os hipócritas e puritanos.

Acostumados à dissimulação e à perversidade sob disfarce, as primícias do Evangelho, em palavras e ações, provocavam compreensível surpresa nos manipuladores da consciência das massas.

Os maravilhosos fenômenos das curas de pacientes desenganados produziam impacto nos grupos sociais desarvorados e chamavam a atenção dos destacados membros da cultura decadente: fariseus, saduceus, zelotes...

Incapazes de produzir frutos opimos de paz e de dignificação – figueiras estéreis que eram! –, atinham-se às tricas verbais e às discussões inúteis sobre os textos da Lei e outros escritos, ditos sagrados, confundindo o povo e dificultando o discernimento da realidade.

---

22. Mateus, 9: 11 e seguintes e Mateus, 12: 7 (nota da autora espiritual).

Jesus provocava-lhes indisfarçável ciúme decorrente da inveja dos Seus poderes, levando-os a uma conduta sistemática inamistosa em relação a Ele e ao Seu ministério.

Ao lado desse comportamento doentio, os Seus sermões, versados no amor, eram como bálsamo derramado nas feridas dos sentimentos ultrajados, superando tudo quanto se ouvira até então, apoiando-se nas profecias, quando desejava reforçar o Seu ensino, colocando o selo da legitimidade israelita...

A grandeza do Seu porte e a Sua autoridade sem arrogância infundiam respeito e despertavam ressentimento nos pigmeus dominadores da ilusão.

Ele pairava acima de quaisquer conjunturas terrenas, e quem Lhe recebesse a palavra ou o toque, nunca mais seria o mesmo.

Espraiava-se o perfume da esperança pela gentil e modesta Galileia com a Sua presença incomum.

Região sofrida e assinalada pela indiferença do poder central, sediado em Jerusalém, seu povo era humilde e necessitado.

Certamente, pelas características das suas gentes, onze dos discípulos de Jesus eram galileus, apenas Judas provinha da tribo de *Issacar*, por isso denominado Iscariotes, aquele que não resistiu às circunstâncias e O traiu...

Desataviado e simples, as Suas eram atitudes vigorosas, embora caracterizadas pela Sua mansidão, sem as artimanhas das conveniências ambientais, sociais, procurando derruir as arcaicas edificações morais viciosas para implantar a nova e transformadora revolução do amor.

Desacostumados à verdade e ao sentimento fraternal, os indivíduos corriam na busca da Sua presença majestosa, nutrindo-se do Seu verbo libertador, repousando nas Suas promessas e anelando pela materialização destas.

Por onde passava, ficavam as indeléveis marcas da Sua presença ímpar, inapagável...

Essa revolução do amor tomava corpo e as armas dos seus combatentes eram a ternura, a compaixão, a solidariedade, quase que totalmente desconhecidas naquela sociedade sofrida.

Jamais acontecera antes algo semelhante e nunca mais voltaria a acontecer.

A psicosfera do Planeta tornara-se amena, embora permanecessem a crueldade, o ódio, a guerra, a infâmia...

Aragens suaves perpassavam por onde quer que Ele se apresentasse e parecia que uma festa especial de sons e cores se instalara em a Natureza.

❧

Os argutos perseguidores seguiam-nO empós.

Indagando sempre, tomados de pusilanimidade, para censurá-lO depois, naquele momento especial, ao vê-lO comendo com pecadores e publicanos, tais fariseus, cujas vidas eram monturos de degradação, recobertos com tecidos alvinitentes e caros, perguntaram aos Seus discípulos:

– Por que come o vosso Mestre com os publicanos e os pecadores?

Estando sempre atento e vigilante, Jesus escutou-os e respondeu-lhes com sabedoria:

– *Os sãos não necessitam de médico, mas sim os doentes. Porém, ide aprender o que significa: quero misericórdia, e não holocaustos, pois não vim chamar os justos, mas os pecadores.*

A resposta sábia e profunda silenciou-os, perturbou-os, porquanto cuidavam apenas da aparência em atitude materialista e perversa, sem se preocuparem com o ser real que eram, com a própria dignidade humana.

Ele os havia elegido, embora sabendo da pecha que sobre eles pesava, na condição de impuros e pecadores, naquela sociedade perversa e discriminadora.

Ele não viera para os soberbos, aqueles que se encontravam dominados pelo tédio, saturados do fausto e cansados do cediço prazer, exploradores das viúvas, dos órfãos, dos necessitados, que reduziam à mendicância...

E porque, logo depois, os discípulos de João, o *Batista,* viessem procurá-lO, a fim de obterem informações que os esclarecessem no tumulto das notícias impostas que os perturbavam, inquiriram-nO:

– *Por que é que nós e os fariseus jejuamos, mas Teus discípulos não jejuam?*

A peregrina luz da sabedoria do Mestre adornou-Lhe os lábios e Ele esclareceu com musical ternura:

– *Podem, porventura, estar tristes os convidados para o casamento, enquanto o noivo está com eles? Dias virão, porém, em que lhes será tirado o noivo, e nesses dias jejuarão... Ninguém põe remendo de pano novo em vestido velho; porque o remendo tira parte do vestido e fica maior a rotura. Nem se põe vinho novo em odres velhos; de outro modo, arrebentam os odres e derrama-se o vinho, e estragam-se os odres. Mas vinho novo é posto em odres novos e ambos se conservam.*

A síntese da Sua Doutrina em expressões sábias era apresentada aos que tinham ouvidos e desejavam ouvir, aos que possuíam discernimento e deviam aplicá-lo.

A Sua misericórdia atraía o sofrimento das massas desesperadas, e Ele propunha essa conduta a todos os que O cercavam: aceitação da dolorosa situação do seu próximo, instalando-a no coração.

Na Sua Mensagem não havia a dicotomia: ele e eu. Existia a fusão significativa do nós todos, membros do mesmo organismo espiritual.

Logo depois, novamente instado pelos contumazes insensatos, agora a respeito do sábado e da sua absurda imposição, redarguiu com nobreza:

– *Mas, se vós tivésseis conhecido o que significa: quero misericórdia, e não holocausto, não teríeis condenado inocentes. Pois o Filho do Homem é Senhor do sábado.*

Rutilavam os diamantes da verdade apontando rumos.

Aqueles sacrificadores, acostumados aos holocaustos de animais, a fim de resgatarem os crimes que perpetravam, desconheciam o poder do amor na libertação do erro, sempre preocupados com oferendas, aparências, sem alteração real do ser interior, enquanto Ele pugnava pelo renascimento interno, o desenvolvimento dos tesouros adormecidos no imo do Espírito.

Vinte séculos quase transcorridos em lágrimas humanas desde aqueles inolvidáveis dias, prosseguem os holocaustos, vazios de sentimento e de elevação, distantes da misericórdia...

Quando o poder econômico dividiu as criaturas em classes, *os excluídos*, não tendo outra alternativa, passaram a aguardar Jesus que ressurge no Espiritismo, como o *Consolador*, para erguê-los a patamares superiores.

Ouvindo-se o bramido das multidões asfixiadas e oprimidas pela miséria, enquanto são exaltados a frivolidade e o poder, campeando a violência e o desvario de todo porte, Jesus retorna, e enuncia, emocionado:

– *Misericórdia quero!*

Amélia Rodrigues

Salvador – BA, 31 de março de 2008.

26

A HORA QUASE FINAL[23]

A força demolidora da intriga produzia estupefação em toda parte, ampliada pelas calúnias bem urdidas, envolvendo a figura ímpar de Jesus.

Os mercadores da mentira atiçavam os ânimos dos imprevidentes, e as víboras do Sinédrio preparavam a armadilha da perversidade.

Mais de uma vez, as estranhas personagens tentaram encontrar motivos para O prenderem, retendo-Lhe os passos conquistadores, de forma que o verbo flamívomo silenciasse na túrgida garganta vencida pela agonia do sofrimento.

O ódio é um vínculo de fogo que arde entre os sicários da Humanidade. Eles se unem e se consomem em combustão penosa, enquanto refrigeram o calor insuportável da vingança, nas labaredas com que envolvem as suas vítimas. Na sucessão dos seus sentimentos terríveis,

23. Marcos, 14: 12 a 17; Lucas, 22: 7 a 13 (nota da autora espiritual).

mantêm-se vivos até quando são consumidos pelas torpes atitudes a que se entregam.

As suas resistências, que parecem inesgotáveis, são vencidas, por fim, pelo implacável suceder do tempo, pelas circunstâncias ligeiras que variam, pela mudança de situação política ou religiosa, social ou econômica, em que apoiam a voracidade da loucura a que se entregam.

Era abril, e esse mês é mais curto do que junho, por exemplo, em Israel, em face do inverno em sua etapa final...

A noite chega mais rapidamente e as sombras tornam-se poderoso instrumento para as mancomunações da sordidez humana.

Os acontecimentos que tiveram lugar no Templo, fazia pouco tempo, eram aumentados pelos hábeis fornicadores, esses míseros servos da difamação.

Mesmo que Ele fosse inocente, conforme o era, a Sua vida, o Seu holocausto se impunham, a fim de que os criminosos pudessem parecer honrados e os imorais de branco vestidos exibissem a falsa pulcritude.

Antes d'Ele, a História narra o martírio, o suplício e a doação de inocentes que beneficiaram as cidades, as comunidades com o seu sacrifício, sofrimento esse exigido pelos infames triunfadores da aparência.

Quando Orestes, por exemplo, deveria ser justiçado, por haver desrespeitado as leis, Pílades ofereceu-se ao suplício no lugar do indigitado.

Conta-se, também, que Efigênia ofereceu o pescoço ao cutelo, a fim de que a frota de Agamenon alcançasse Troia sem qualquer perigo...

Epimênedes fez que fossem sacrificados muitos inocentes sobre os túmulos, liberando Atenas da profanação que sofrera pelos partidários de Chilão.

Na Mitologia hebraica, Abraão teve o filho salvo a tempo pelo mesmo Deus que lhe pedira o sacrifício, a fim de testar-lhe a fé, sendo substituído por um cordeiro conduzido por um anjo... Na grega, para salvar Atimeto, Alceste entregou-se à morte imposta pelo ódio de Artémis.

É imensa a lista apresentando as vítimas da crueldade humana que parece acalmar-se ante o espetáculo hediondo com o sangue inocente.

Depois de Jesus, as arenas de Roma ficaram cobertas pelos cadáveres das vítimas da alucinação reinante por muitos anos.

De igual maneira, o sangue de Jesus, talvez na parasceve, pudesse acalmar os iracundos inimigos da verdade, conforme pensavam...

O Seu ministério, no entanto, ainda não estava terminado.

Fazia-se necessário concluí-lo com urgência, e Ele o sabia.

O conciliábulo entre Herodes, os sacerdotes e os comerciantes, exigia a vida do Inocente que os incomodava. A Sua verdade era insuportável e não podia continuar.

Certamente, em todas as épocas, a verdade é um ferrete em brasa que assinala os mentirosos que a temem e se utilizam de todos os abjetos recursos para impedir-lhe a ação.

Sabem que é inútil, porque ninguém consegue impedir o Sol de avançar no rumo contínuo da treva, ensejando a luz sobre a Terra.

Reconhecem, no entanto, que podem sombreá-lo, dificultando-lhe a claridade libertadora.

A religião em Israel era uma indústria e uma contínua negociata, como ainda permanece no mundo enganado pelos hábeis ministros que a vendem pelo ouro que fica no mundo, quando a poderiam oferecer em contínua alvorada de libertação das consciências, como raramente acontece.

Assim procediam com Jesus os maquiavélicos membros do Sinédrio, da Academia e da Banca...

Todos eles acreditavam-nO como seu inimigo, mas eram eles, por sua vez, o real adversário do Libertador.

Invejavam-nO, pelo que Ele fazia, pela misericórdia que distendia com as Suas mãos, pelo amor que espraiava do Seu coração.

Neles somente havia fel e ambição em conúbio mortífero de insatisfação interior e insegurança emocional.

Sabiam, sim, que Ele era o Esperado, por isso deveriam liquidá-lO, porque Ele não se apresentava conforme a sua imaginação e incontrolável ambição: poderoso e odiado, conquistador perverso e venal, protetor dos espúrios controladores das vidas em ruínas... Antes, Ele era gentil e nobre, sábio e justo, o que mais os irritava.

Desejavam que Ele quisesse o poder do mundo, esquecidos que Ele é o Rei do mundo, das suas grandezas e misérias, que viera reverter...

– *A hora aproxima-se* – dissera com suavidade.

Os amigos também não O entenderam, pois que, de alguma forma, ambicionavam o mundo. Eram pessoas simples e gentis, humanas e judias, cuja cultura se firmava no poder temporal...

Naquela manhã de quinta-feira, quando se inaugurava o primeiro dia dos pães ázimos, os amigos Lhe perguntaram onde Ele desejava comemorar a Páscoa.

Ele, que nada possuía, depois de pensar tranquilamente, repassou pela memória que não tinha amigos na cidade que lhe pudessem oferecer um espaço para a celebração.

Nada obstante, chamando Pedro e João, disse-lhes com segurança:

– Ide à cidade, e encontrareis um homem com um cântaro com água; que virá ao vosso encontro. Segui-o empós, e quando ele chegar à casa, dizei-lhe: o Mestre manda informar que o tempo está próximo. Ele manda perguntar em que aposento poderá comemorar a Páscoa com os Seus amigos? Ele vos mostrará um grande quarto mobiliado e preparado para esse fim. Fazei aí os preparativos para todos nós.

Eles foram e encontraram o homem anunciado, que os recebeu muito bem e levou-os ao aposento onde estariam reunidos pela última vez com o Amigo.

Quando desceu a noite, com o céu de veludo escuro salpicado de diamantes estrelares, Ele chegou com os outros dez discípulos, sentou-se sobre as almofadas e coxins, e manteve o último encontro coletivo com aqueles aos quais amava, mas não era por eles totalmente compreendido...

Estes são dias muito semelhantes àqueles.

Os Seus inimigos caluniam-nO, disfarçados de amigos, adulteram as Suas palavras, confundem as criaturas em Seu nome.

Todos aqueles que O amam, ainda não se decidiram pela ceia pascal e não sabem exatamente onde se dará.

Interrogam os Céus em momentosos silêncios de angústia, e ficam expectantes.

No báratro, porém, das inquietações, Ele anuncia:

Ide à cidade e encontrareis um homem servindo outros homens, sem tempo para si mesmo. Segui-o empós, e quando ele se detiver em algum lugar, dizei-lhe: o Mestre manda informar que a hora está próxima. Onde poderá Ele reunir os seus discípulos para a Páscoa de amor? O homem abrirá os braços e após tocar o peito na área do coração, responderá: – Aqui tenho preparado o recinto para essa hora na sala sublime que tenho reservado para a ação da caridade...

Esta é a hora, a hora da união, a hora quase final…

Quem tiver ouvidos, que ouça. Quem possuir entendimento, que compreenda…

Amélia Rodrigues

Paramirim – BA, 21 de julho de 2008.

27

RENÚNCIA E CONQUISTA

As anêmonas e as coreópsis desabrochavam em gargalhadas coloridas e perfumadas no formoso mês de *nisan*, em dias emoldurados de luz suave e encantadora, aguardando o verbo sublime que encantava as multidões entusiasmadas que seguiam o estranho Poeta galileu.

Havia um encantamento em a Natureza como dantes jamais houvera acontecido, convidando à reflexão.

Embora a atmosfera de desencanto e de sofrimento que se respirava em toda parte, especialmente na Judeia, onde se concentravam os poderes políticos e religiosos, os interesses mesquinhos que infelicitam as criaturas, os ódios recíprocos entre governantes e povo, assim como reciprocamente entre judeus e romanos, na Galileia humilde com as suas gentes simples, havia expectativas de paz e fraternidade, raramente perturbadas pelos incansáveis cobradores de impostos e intrigantes de ocasião.

A ingenuidade das pessoas trabalhadoras era compensada pelas singelas alegrias do cotidiano, da pesca, da colheita, do pastoreio, das vindimas, das esperanças em melhores dias.

Somente os espectros das enfermidades dilaceradoras, dos distúrbios mentais e dos transtornos de comportamento os afligiam, marcando, de maneira rude, muitas vidas que estorcegavam nas suas tenazes vigorosas.

As notícias, desencontradas umas, seguras outras, falavam a respeito desse suave Rabi, cantor dos sofrimentos, que apaziguava as aflições e dulcificava com a Sua voz e mensagem a amargura dos que haviam perdido a alegria de viver e de sonhar, passavam de bocas a ouvidos e constituíam motivos de comentários em toda parte.

Falavam de um diferente Reino a que Ele se referia, onde não havia dor nem desencanto, e que estava ao alcance de todos quantos se dispusessem a renunciar aos haveres e paixões do momento, entregando-se-Lhe em regime de totalidade.

Em cada entardecer, nas praias formosas ou nas praças das cidades que margeavam o lago generoso, os sofredores apareciam, ansiosos, buscando-O, ouvindo-O e fascinando-se. É certo que os seus eram interesses mundanos, imediatos, pois que não entendiam exatamente o que Ele falava, reconhecendo que ninguém nunca se expressara como Ele o fazia, o que produzia encantamento e alegria. Nada obstante, eram as suas dores que exigiam renovação e bem-estar, já quase desconhecidos, fazendo que a mole humana fosse cada dia mais abundante e inquieta.

Estranhamente, nem todos conseguiam a bênção da recuperação, mas sentiam que algo estranho lhes penetrava desde o momento em que O ouviam, reconhecendo que algo se modificava no seu mundo interior.

Diante dos comentários, exagerados uns, suspeitosos outros, também apareciam os sacerdotes que viviam espoliando as viúvas e ignorando os necessitados, os fariseus detestados que se mordiscavam de inveja e de ira ante a popularidade de que Ele desfrutava, procurando motivo para espezinhá-lO.

Ele jamais lhes deu importância, no começo, enfrentando-os com serenidade e paz interior…

Nunca se preocupava com os inimigos, que passou a ter entre aqueles mesquinhos negociantes das tradições e biltres a serviço dos governantes indignos sediados em Jerusalém, que tinham olhos e ouvidos em toda parte, para preservarem o falso poder que os mantinha no pódio da ilusão…

Naqueles dias em especial, os Seus sermões eram austeros e a Sua face, invariavelmente suave-doce, tornava-se preocupada, em face da profundidade de que se revestia.

Os poemas de ternura e de alegria convertiam-se em convites para a reflexão, projetando as almas no futuro que as aguardava.

Nem todos podiam compreendê-lO então.

Convidando as pessoas a se voltarem para dentro de si mesmas e fazerem uma análise grave da existência, apresentava considerações em torno da brevidade da vida corporal e da imortalidade do ser.

Não eram habituais, naquelas mentes desacostumadas a esse tipo de reflexão, os pensamentos de tal qualidade, mas parecia uma necessidade inadiável de estabelecer-se parâmetros para que se pudessem mensurar os objetivos existenciais.

Como passavam celeremente os dias e as estações, também os anos corriam, e com eles o tempo de cada pessoa aproximando-a da morte inexorável, à medida que viam transcorrer as vidas daqueles que eram mais idosos, sucumbindo, uma após a outra, era necessário pensar-se no que viria depois... Tudo se diluía ante o impacto do tempo, alterando a escala de valores que todos estabeleciam para si mesmos.

O grupo que O seguia por toda parte comentava os Seus ditos e os Seus feitos com especial emoção e referiam-se ao Seu programa em relação ao futuro, não apenas de Israel, mas também de todas as gentes, esclarecendo ser de muita importância, não podendo ficar ignorado pelas multidões, assim tentando esclarecer o que significava acompanhá-lO. Mas eles mesmos experimentavam dúvidas e tinham dificuldades em apreender o significado das Suas palavras, quando dirigidas a muitos entre aqueles que O buscavam.

Oportunamente, em face dos Seus esclarecimentos sobre os *chamados e os escolhidos*, perguntou-Lhe Pedro:

– Quanto a nós, vês que tudo deixamos, e te seguimos.

Jesus lhe observou: – Digo-vos, em verdade, que ninguém deixará pelo Reino de Deus, sua casa, ou seu pai, ou sua mãe, ou os seus irmãos, ou sua mulher, ou seus filhos, que não receba, já neste mundo, muito mais, e no século vindouro a vida eterna.[24]

---

24. Lucas, 18: 28 a 30 (nota da autora espiritual).

A canção de doçura apresentava, agora, a musicalidade especial de uma sinfonia de responsabilidades que não podiam ser adiadas.

As alegrias deveriam transformar-se em doações de amor, em sacrifícios e renúncias, de forma a experienciar-se novas expressões de felicidade que viriam somente após o testemunho da fidelidade ao compromisso abraçado.

Não se tratava de um festival de sorrisos, mas de uma definição de comportamento, de um compromisso consigo mesmo em relação ao futuro. Ninguém poderia aspirar a uma colheita em gleba que não houvesse cuidado, revolvendo-a, ensementando-a, erradicando as ervas daninhas e cuidando das plântulas nas diferentes ocasiões.

Tratava-se de eleger o campo de ação e o preço a pagar.

Certamente, quando se escolhe um ideal, o júbilo não se apresenta somente quando o mesmo é vitorioso, mas durante toda a sua vigência, na renhida luta e nos silêncios impostos pela necessidade dos esforços aplicados.

Tendo em vista a rapidez com que passa o carreiro carnal, é necessário pensar-se na imortalidade.

A família carnal é campo experimental para a universal. Preferir a vida em detrimento da existência rápida, optar pela família universal, enquanto se ama a biológica, eis o que se fazia importante naquele momento para Simão Pedro e os seus companheiros, bem como para toda a Humanidade do futuro.

A pequena renúncia já era compensada pela imensa alegria de estar construindo a solidariedade junto a todos aqueles que não tinham família. Esse sentimento de amor generalizado já constituía uma alegria, porque nele estava embutida a afeição pelos que eram aparentemente preteridos, permanecendo preferidos no coração.

Ainda hoje a resposta do Mestre permanece confortando aqueles que tiverem a coragem de optar por Ele em momentâneo detrimento em relação aos outros, que são também Seus...

Amélia Rodrigues

Havana – Cuba, 23 de abril de 2008.

28

JESUS ENTRE OS ESSÊNIOS

Situada entre o Vale do Jordão ao Norte, o planalto dos Moabitas a Leste, os montes da Judeia a Oeste e o Deserto de Arabá, encontra-se a maior depressão do globo terrestre, em quase quatrocentos e trinta metros abaixo do nível do Mar Mediterrâneo.

Ali não há vida, os ventos são sempre quentes e vêm do Sul – do deserto –, tornando-se uma terrível fornalha. Essa ardência produz vapores nas águas paradas do mar, plúmbeas, pesadas pelo sal acumulado, razão pela qual é chamado de morto...

A aridez e as temperaturas altas queimam e requeimam as aspirações, as energias, os sentimentos do ser, como se produzissem a sublimação das paixões humanas, exaltando o espiritual, o transcendente, o impalpável...

Naquela região terrível, nas montanhas de arenito, situava-se Qumran, comunidade especial onde se refugiavam os essênios.

Esse povo peculiar pertencera anteriormente à tradição do Sinédrio em Jerusalém. Os seus membros acompanharam, porém, a perversão que começou a tomar conta dos representantes da Lei de Moisés e dos Profetas, assim como a profanação natural que foi sendo introduzida nos hábitos, costumes e comportamentos religiosos, impostos pelos dominadores e aceitos pela pusilanimidade dos representantes da fé...

Compreendendo a defecção dos sacerdotes que se entregavam à luxúria, ao poder e ao gozo terrestre, mais preocupados com a aparência e o cumprimento exterior dos códigos religiosos, afastaram-se da sua convivência, resistindo às influências das culturas greco-romanas, da imposição do deus Baal, observando, escandalizados, que, mesmo nos lares muito fiéis à tradição, encontravam-se amuletos, estatuetas e imagens de estranhas personagens deificadas pela ignorância...

Assumiram, então, uma postura severa na observância dos deveres espirituais e na interpretação da Lei, admitindo somente Jeová, imitando a incorruptibilidade do rei Davi na sua fidelidade aos estatutos ancestrais.

Isolando-se, passaram a sofrer medo e angústia, receio da *vingança de Jeová*, assumindo comportamentos profundamente severos para consigo mesmos e para com o seu próximo. Mantendo-se castos, celibatários, alimentavam-se, quase sempre, de gafanhotos, obedecendo à prática ritual de não os cozer, de mel silvestre...

Bastava-lhes a ocorrência de pensamentos negativos em relação ao seu irmão, e logo se refugiavam no conforto da oração, preservando a pureza dos sentimentos.

Criaram regras para ingressar-se na comunidade com exigências vigorosas, inclusive, após a aceitação dos códigos, a oferta dos bens materiais para atendimento de todos.

Compreenderam que a oração é de fundamental importância para a vida espiritual e, por isso, oravam regularmente três vezes ao dia – e muito mais! – De modo a estarem em comunhão tranquila com Deus. Mesmo à noite, despertavam exclusivamente para orar, preservando o sábado com toda austeridade imaginável. As exigências chegavam ao máximo de tomarem um banho ao pôr do Sol, ao que o iniciante era exigido de imediato, logo vestindo uma túnica branca tecida com uma única costura, participando nas refeições comunitárias, na meditação e no silêncio...

Acreditando nos múltiplos renascimentos corporais, admitiam a conquista da perfeição através do rigor e da abnegação.

Exigiam beleza física e proporções harmoniosas nos seus candidatos, assim como o gozo de saúde, por acreditarem que o físico reflete o espiritual e que as anomalias constituem imposições reparadoras, verdadeiros *castigos* infligidos aos antigos déspotas e criminosos...

Anteriormente viveram em Qumran, aguardando a explosão da *cólera de Deus*, quando ocorreu o terremoto que lhes destruiu a cidadela, obrigando-os a buscar refúgio no deserto e noutras terras... Passado o terror, alguns volveram às origens e reconstruíram o absolutamente necessário para a sua sublimação, naquela região quase insuportável para viver.

Desprezavam o Templo de Jerusalém e os hierosolimitanos, acreditando-se credenciados para o cumprimento da Promessa...

Despertaram ódios e simpatias. Fariseus e saduceus, em desvantagem moral, apegados ao comércio e à venda dos animais para os sacrifícios, passaram a detestá-los, por sentir-se vigiados e censurados pela má conduta que se permitiam. As demais pessoas, que lhes observavam a conduta e a disciplina religiosa, amavam-nos, respeitando-lhes a maneira de ser e de viver.

Todos exerciam uma profissão manual, jamais exploradora, na condição de camponeses, de oleiros, de tecelões, de pedreiros, de carpinteiros, distanciados da riqueza e do poder. O seu poder, porém, era o sentimento de nobreza haurido na oração e na ação digna.

O seu mentor era chamado o Mestre da Justiça. Alexandre IV Janeu, rei de Israel, invejoso do prestígio desse Mestre, apesar de ser o dia do perdão, o Yom Kippur, mandou prendê-lo, torturá-lo e matá-lo. Em consequência, passou a ser chamado pelos essênios como Mau sacerdote. Nunca foi perdoado pela insuportável crueldade de que dera mostras.

Os essênios passaram, então, a aguardar a chegada do Messias de Aarão e de Israel. A Nova Aliança, como permitiram denominar o surgimento da sua Ordem, deveria nutrir-se do amor e sorver a água viva da verdade...

O seu nome essênio provinha da expressão aramaica *El Hâsin,* os *piedosos*, ou talvez de *El Cenu'im*, os *castos.*

Jesus jamais convivera com eles, embora os conhecesse desde antes...

No entanto, sentindo chegado o momento, às vésperas de dar início ao Seu ministério, às margens formosas do Mar da Galileia, entre os asfôdelos e as violetas perfumadas, sob o canto dos rouxinóis e das toutinegras em permanente festa, optou por visitá-los em Qumran, a fim de informá-los que aquele era o momento dolorosamente aguardado.

A viagem era penosa, partindo-se da Galileia romântica e terna até a região do Mar Morto e de Qumran, entre as labaredas terríveis do calor...

Solitário e entregue a Deus, o Rabi nazareno venceu a distância e alcançou o altiplano onde viviam esses homens de Jeová...

Como se houvesse sido anunciado, foi recebido com carinho e respeito.

Jonram, que representava o grupo, recebeu-O e introduziu-O no modesto recinto que Lhe serviria de cômodo durante a sua estada.

Naquele mesmo dia, quando as pesadas sombras da noite desabaram sobre a região febril, reunido o grupo que não ultrapassava cento e cinquenta membros, Jonram apresentou o recém-chegado e deixou-O livre para as Suas considerações.

A mágica e dúlcida figura de Jesus impressionava pela perfeição das suas linhas, a nobreza do Seu porte e a majestade de que dava mostras.

Respeitando os hábitos locais, após a invocação a Deus através de uma prece profunda, elucidou:

– Aquele de quem falam as Escrituras está agora entre vós...

Houve um silêncio respeitoso, cheio de surpresas sem indagações.

– Foi necessário que o cálice de dor transbordasse e as aberrações atingissem o seu mais alto nível, para que o silêncio do Altíssimo fosse rompido e enviado o Seu Mensageiro, este que vos fala...

Novamente ocorreu uma longa pausa.

– Vossos ouvidos e vossos corações escutarão as primeiras palavras da Era Nova, porque tendes sido fiéis ao Pai até aqui, e O aguardais atemorizados, insatisfeitos.

A Era que se inicia traz o amor para sublimar a Lei e substituir os preconceitos. A união de todos em torno do Genitor Divino será a maneira de reunir o imenso rebanho espalhado pela Terra, para iniciar a grande transformação que se dará oportunamente, quando serão superados a dor e o sofrimento, as angústias e os tormentos da alma.

Lutas encarniçadas serão travadas, mas o sentimento da solidariedade em nome do Amor triunfará, mesmo que muitos campos fiquem juncados de cadáveres daqueles que permaneceram fiéis ao compromisso. Este foi assumido antes da investidura carnal, quando eram preparados para este momento, conforme o fostes muitos de vós.

Preservastes a Lei de Moisés e os Estatutos dos Profetas, para que sejam cumpridos todos os anúncios e se materializem todas as promessas em mim, Eu que vos falo...

Permanecereis em vossos redutos de sabedoria, preservando os valores antigos e a Tradição, espalhados por muitas cidades como já os encontrais, de forma que os novos servidores tenham modelo próximo de austeridade e de honradez para seguir, encontrando em mim o Guia de segurança para chegarem ao porto de salvação...

Nunca vos deixeis fraquejar, embora a aspereza das vossas decisões, pois tendes a coragem de porfiar quando outros desistem.

Meu Pai vos honra com a esperança em vez do pavor, exornando-vos de bênçãos para que concluais a vossa trajetória em paz e elevação espiritual.

Ouvireis novos cantos, acompanhareis novos fenômenos, tomareis conhecimento da revolução do amor e sereis chamados à confirmação de tudo isso. Tende tento, para não serdes iludidos, confundidos pelos maus e astutos.

O vosso mestre vive e inspira-vos em Meu nome, a fim de que a Humanidade encontre a nau e o rumo no tormentoso mar das ambições momentâneas.

Alongar-se-á este ministério até um pouco mais no tempo e no espaço, mas ele alcançará os resultados programados.

Quando soar o clarim do amor, ponde-vos de pé e cantai aleluias, amando e servindo a todos. Estará sendo iniciada a Era para a qual surgiu a Nova Aliança, que vem preparando os caminhos para esse acontecimento.

No silêncio natural que se fez, ouviam-se as pulsações das almas e os ritmos dos corações ansiosos e felizes.

Impregnados pela presença de Jesus, não tiveram necessidade de fazer-Lhe perguntas, de proporem preocupações.

O ar transformara-se sob o magnetismo do amor incomum do Mestre.

Era possível ver-se uma ou outra estrela, o que era inabitual na região pesada e infeliz.

Aquele colóquio modificava a paisagem, demonstrando que, mesmo no inferno da aflição, os céus da ternura fazem-se presentes...

No dia seguinte, Jesus desceu, desceu para iniciar o Seu ministério.

Muitas vezes, mais tarde, seria confundido por essênio, conforme sucedia com João, *o batista*.

Muitos deles O acompanharam durante as Suas pregações, defenderam-nO, respeitaram-nO e O amaram.

Amélia Rodrigues

Salvador – BA, 5 de maio de 2008.

29

TRANSFORMAÇÕES, E NÃO FENÔMENOS

As enfermidades procedem do Espírito, cujas feridas morais são de cicatrização difícil.

Resultados da imprevidência e da ignorância, as ações infelizes dilaceram as fibras delicadas do corpo perispiritual, nelas imprimindo as mazelas e as necessidades evolutivas de reparação.

Crepúsculos emocionais, colapsos do caráter agressivo que ofende e que magoa, vérmina interior, o mal que predomina e se expressa nos seres humanos dão lugar aos largos comprometimentos afligentes que os atormentam e vergastam através do tempo.

Noite tempestuosa que estruge em pavor, acalma-se mediante a purificação espiritual através dos renascimentos que favorecem o encontro com a paz, mediante a retificação dos erros, a corrigenda inadiável dos gravames, a iluminação interna pelas claridades miríficas do amor.

Sem a consciência lúcida a respeito das ocorrências inditosas que desencadearam as aflições, as criaturas correm atrás dos taumaturgos e curandeiros de toda espécie, buscando, a qualquer preço, a cura, a paz, sem que se deem conta de que é necessário o esforço pelo bem interior, pela transformação moral para melhor.

A busca alucinada por milagres faz parte da sua agenda existencial, numa sofreguidão angustiante, ao tempo em que atropelam os deveres e geram novos infortúnios para si mesmas, em face da revolta, da insatisfação com a existência física e diante dos anseios de prazer e de poder desenfreados.

Distantes da humildade e da submissão aos Soberanos Códigos, investem com violência contra os sofrimentos de que são portadoras, quando se deveriam compenetrar da sua utilidade, sem a qual os Céus não as assinalariam.

Ao tempo de Jesus não era diferente essa conduta. Consideremos ser ainda mais grave, tendo-se em vista a ignorância das Leis Divinas, as informações religiosas precárias, o utilitarismo, as injustiças de todo porte, a brevidade do carreiro carnal.

Ao mesmo tempo, a busca por fenômenos externos, o deslumbramento que esses causavam, e ainda causam, eram o rastilho de pólvora para a aceitação de qualquer mensagem superior, quando o espetáculo definia e qualificava o mensageiro.

Todos os fenômenos, no entanto, são efêmeros, por se tratar de efeitos, de estardalhaço.

A pirotecnia própria para a fantasia mental das massas apresentava-se com frequência, arrebanhando os incautos, seduzindo os desocupados, deslumbrando os ingênuos.

Invariavelmente, realizada por hábeis charlatães que lhes conheciam as fraquezas do entendimento e a expressiva ignorância, produzia fascinação dando lugar às superstições em torno dos *mistérios* que acreditavam proceder de Deus.

Por essa razão, é normal encontrar-se em todo o Evangelho, o populacho como o sacerdócio em Israel, aguardando *sinais, prodígios*, sempre insatisfeitos e atordoados.

Jesus evitava produzir fenômenos, porque, para Ele, o maior fenômeno que pode acontecer em uma vida é o da sua modificação moral para melhor, o fortalecimento dos valores espirituais, a capacidade de entrega ao bem, o trabalho autoiluminativo.

As massas, não obstante, sofriam e, por compaixão, não poucas vezes, Ele as atendeu, despertando-lhes o interesse externo para a conquista dos tesouros interiores.

Experimentando a infelicidade sem discernir a razão do padecimento, o Mestre de amor socorria-lhes as necessidades orgânicas e emocionais, os tormentos de todo jaez, para ensejar-lhes o conhecimento da verdade, a identificação da melhor trilha a percorrer em benefício da futura conquista de harmonia.

Àqueles, porém, perversos e insensatos, que Lhe pediam *sinais* que O identificassem como o Messias, Ele os negava, porque não viera para divertir os frívolos e ociosos, mas sim despertá-los para as responsabilidades perante a vida.

A Sua palavra iluminada, libertadora como um punhal que rasga os tecidos apodrecidos, para que permitam o surgimento da saúde, toda rica de amor e de paz, era o *sinal* legítimo caso houvesse interesse naqueles que a ouviam, porquanto logo perceberiam a sua procedência. O desejo, porém, não era de compreensão da vida, pois que eram burlões dos valores legítimos, mas, sim, de dificultar-Lhe a expansão do Reino que viera implantar na Terra.

Mas Ele, pairando acima das circunstâncias, não lhes atendia aos caprichos, permanecendo fiel ao que viera fazer.

Quando desejaram que Ele fizesse *sinais* em Nazaré, no Gethsemani, para salvar a própria vida, manteve-se em silêncio hercúleo e deixou-se arrastar ao matadouro como ovelha mansa, não reagindo nem se defendendo.

Oportunamente pediram-Lhe um sinal do Céu e Ele redarguiu: *Esta geração má e adúltera pede um prodígio, mas nenhum prodígio lhe será dado, exceto o prodígio do profeta Jonas.*

Tratava-se de um paralelo entre os contemporâneos e os caldeus de Nínive, que aceitaram a palavra de Jonas, sem que ele lhes desse quaisquer sinais identificadores da sua elevação.

O conteúdo dos seus ensinamentos bastou-lhes para a conversão, para a certeza da imortalidade, para a *ressurreição* após a morte.

As Suas lições eram mais profundas do que as do profeta Jonas, e o Seu era o desejo de que acreditassem n'Ele, não pelos *feitos* miraculosos que podia realizar, mas pela invitação direta e profunda à transformação interior para a conquista do Reino de Deus.

Não escutaram Moisés, mesmo depois de tantos fenômenos que testemunharam, em verdade, não desejavam *milagres*, mas se utilizavam da exigência descabida para evadir-se da responsabilidade pessoal para a iluminação.

Por isso, referiu-se com profunda melancolia a Tiro e a Sídon, que se renovariam com os feitos que foram presenciados em Corazim e em Betsaida, lamentando-as, porque não se sensibilizaram os seus habitantes, continuando com suas tricas e lutas mesquinhas, distantes da compaixão, da solidariedade, do amor...

Multiplicavam-se, nos Seus dias, os milagreiros de ocasião, que enganavam o povo e o exploravam sem nenhum pudor.

Psicólogo sublime, conhecia o Seu rebanho, suas mazelas e imperfeições, por isso mesmo não se lhe submetia às paixões doentias, buscando sempre aplicar-lhe a terapia superior para a saúde integral.

Nada obstante, quando os tristes e desalentados, os sofredores reais e necessitados de misericórdia O buscavam, carentes e desamparados, após o longo périplo de purificação pelo sofrimento, Ele distendia-lhes o conforto da recuperação dos males que os dilaceravam, ensejando-lhes compreender a bênção do bem-estar e a consciência do terrível prejuízo ao perdê-lo.

Noutras vezes, nem mesmo esperava que Lhe solicitassem o socorro, porque, tomado de compaixão, ofertava a Sua inefável bondade, modificando-lhes as estruturas do comportamento.

Jesus é incomparável!

Reconhecendo, embora, que a saúde do corpo é consequência da saúde da alma, melhorava os enfermos, a fim de que pudessem, por sua vez, realizar a recuperação profunda.

Desse modo, compadecia-se das tormentosas obsessões, das exulcerações físicas da maquinaria fisiológica apodrecida, das mentes aturdidas, dos olhos apagados, dos ouvidos tapados, das bocas fechadas, dos movimentos impedidos, distendendo-lhes a Sua infinita compaixão em incessante sinfonia de amor.

Jamais, porém, para atender aos caprichos dos soezes exploradores do povo, dos religiosos desonestos, das autoridades sórdidas.

A sua era a luta contra o mal e a libertação dos que o padeciam, não a sua punição, o seu abandono.

Os poderosos, quando honestos e dignos, que O buscavam, d'Ele recebiam a mesma quota de carinho que era ofertada aos menos favorecidos, porque a dor não escolhe a quem ferir, e quando se instala, seja em quem for, magoa com intensidade.

Desse modo, atendeu ao centurião que O buscou, a Nicodemos, que era príncipe e sacerdote, a Zaqueu e a outros anônimos, todos carentes de condolência, com o mesmo altruísmo e gentileza.

...Todos morreram, porém, porque a vida física é breve e enganosa, ficando com os mesmos as lições inabordáveis do Seu amor, que os guiou além do sepulcro, renascendo em condição diferente ao largo dos tempos, exaltando-Lhe a Doutrina e procurando vivenciá-la.

O mais extraordinário fenômeno, portanto, da fé em Jesus, é o significativo esforço que se deve fazer para conquistar a harmonia que d'Ele se exterioriza e servi-lO na Humanidade de todos os tempos, que sofre.

Amélia Rodrigues

Paramirim – BA, 22 de julho de 2008.

30

DIVINA PATERNIDADE

Ante a turbamulta desordenada e sofredora, carregada de misérias e de sofrimentos sem consolo, Jesus orientava as mentes e confortava os corações, informando que Deus é o Excelso Pai.

Ninguém se encontra no mundo ao abandono, como fruto espúrio do acaso, da indiferença do Genitor Celeste.

A Sua propositura era e permanece com significado ímpar, em razão do poder de vinculação entre a criatura e o seu Criador.

O mesmo Sol que oscula o pântano aquece o grão que atende a fome e faz desabrochar o botão que guarda a flor, a fim de que o perfume viaje nos braços gentis da brisa... Esse mesmo Astro rei transforma o bago de uva em vinho bom, iluminando a choupana em trevas e adentrando-se no palácio festivo e adornado.

Esse Pai é o mesmo em relação aos bons que conseguiram avançar pelas estradas da evolução, assim como aos maus que permaneceram nas sombras densas da ignorância e do primarismo em que se aturdem, aguardando, misericordioso, o retorno dos filhos ao Seu incomensurável amor.

Muitos religiosos atormentados d'Ele fizeram o Justiceiro, o General belicoso que marchava à frente de um exército para matar o oponente, o Juiz Inclemente; enquanto Jesus demonstrou a Sua bondade e excelsitude na própria conduta, a Ele submetendo-se e ensinando como servi-lO e senti-lO nos refolhos do coração e da alma.

Desse modo, o Pai faz tudo quanto é necessário para que o filho cresça e alcance a plenitude, mesmo que este não o deseje, preferindo deter-se nas trilhas sombrias da prepotência e da suprema inferioridade.

Era aquele um povo pastoril, rebelde, enriquecido de profetas não escutados, de reis poetas, de reis cantores, de reis sábios, também sensuais e perversos, exibicionistas e despudorados...

Havia sobrevivido a vários cativeiros, tivera o seu templo destruído mais de uma vez e novamente erguido, fora submetido aos caprichos de outros povos que o exploraram e humilharam, exilando os seus filhos e poluindo as suas mulheres...

Fiel, no entanto, ao Deus único, conseguiu superar todas as injunções penosas, recomeçar a marcha sob calor sufocante, permanecer fiel às suas tradições, aguardar o Vingador, que lhe daria todas as glórias terrestres e um trono grandioso através do qual submeteria as demais nações terrestres.

Esse foi o seu ledo engano: a ambição de desmedido poder, que o levou a desconsiderar os outros povos, embriagando-se de orgulho e de prepotência, insensibilizando-se quanto aos demais membros da Humanidade, como se fosse especial e único, merecedor de tudo.

Jesus veio na sua raça, a fim de demonstrar que Deus é Pai de todos, aos quais ama com o mesmo enternecimento, não como um Senhor que ama aos seus subalternos, servos e escravos, com humilhação a eles imposta.

Esse Divino Genitor jamais ameaça nem castiga, absolvendo somente os criminosos que Lhe prestam culto, em detrimento dos cidadãos que ainda não O conhecem.

Ao apresentá-lO a Israel e, por extensão, à sociedade de todos os tempos, Jesus exalta-Lhe a paternidade sublime, facultando uma visão nova e justa em torno do Seu afeto por tudo e por todos.

Jesus glorifica-O em a Natureza, que transforma na Sua cátedra de ensino, que glorifica na condição de cenário onde se apresentam as Suas mercês, em todas as coisas simples e significativas, chamando a atenção para a magnitude do Cosmo e a grandeza das ignoradas expressões de vida invisíveis e vibrantes.

Em Seu nome falou aos deserdados do mundo com o mesmo encantamento com que o fez aos poderosos de um momento, atendendo ao pecador e miserável moral, quanto ao casto e puro discípulo da Sua Mensagem, honrou as espigas maduras do trigo, comendo-as num sábado, enquanto elogiou as minúsculas sementes de mostarda, usou o espelho das águas do mar calmo para refletir o azul-turquesa dos céus claros das manhãs iluminadas na Galileia singela...

Ainda, em Seu nome, abençoou os campos verdes e a relva seca transformada em labareda, usou a imagem da serpente astuta e das pombas simplórias, das feras que têm os seus covis e das aves com os seus ninhos, dos lírios alvinitentes e dos pássaros cantores como se cada uma dessas mensagens vivas fosse uma nota retumbante da incomparável sinfonia que cantou aos ouvidos da Humanidade.

Tendo nascido entre pastores, fez-se Pastor das ovelhas humanas, entre as quais se escondiam cabritos e lobos disfarçados, amando-os, porém, a todos com a mesma ternura e informando que são filhos do mesmo Pai, sem nenhuma distinção, nem preconceito, nem julgamento antecipado.

Informou que o Pai jamais deixou os filhos sem notícias da Sua progenitura, o que realizou através de anjos, de profetas, de mensageiros de toda espécie, de acontecimentos grandiosos uns, delicados outros, de forma que ninguém jamais viesse a sentir-se órfão.

Enunciou sempre e sem cessar, exaltando o Pai e submetendo-se-Lhe à vontade:

...Ninguém vai ao Pai senão através de mim.

Venho em nome de meu Pai, para que tenhais vida, e vida em abundância.

Do dia e da hora ninguém sabe, nem o Filho, somente o Pai.

O Pai está em mim como eu estou n'Ele.

Meu Pai trabalha até hoje e eu também trabalho.

Dou a minha vida pela glória de meu Pai.

Eu e o Pai somos um.

Tudo o que pedirdes ao Pai, orando...

O Pai enviou-me...

Pai, em Tuas mãos entrego o meu Espírito...

Simplificar a complexidade da Progenitura Divina, como o fez Jesus, a ninguém ocorreria realizá-lo, nem teria condições para tanto.

Ser filho de Deus é honra imerecida para todas as criaturas que ainda não O entendem, embora convidadas ao banquete de júbilos que lhes está reservado.

Todo empenho deve ser feito, a fim de corresponder à alta herança que lhe está destinada.

O ser humano aturde-se nestes, como aconteceu em outros dias do passado.

Há glória do poder terreno, sem correspondente moral.

Às grandezas de fora se somam as misérias interiores do olvido ao bem, ao respeito pela vida, à oportunidade de desenvolvimento espiritual.

Existem triunfos retumbantes na cultura e na civilização hodierna, sem que haja deixado de haver os infortúnios resultantes do egoísmo e da hediondez, como a fome, as pandemias, as guerras, o terrorismo, as traições, as vinganças, os ódios, as perseguições terríveis, as discriminações...

Dois mil anos de Jesus em sementeira contínua e mui parcimoniosa colheita de frutos de fraternidade e de humildade.

Ele, porém, propôs, manso e humilde:

Que brilhe a vossa luz!

Que todos saibam que sois meus discípulos, por muito vos amardes.

Vós sois o sal da Terra, que não deve perder o sabor.

Sede brandos e pacíficos.

Perdoai àquele que vos ofende...

Ao mesmo tempo, exclamou:

Eu sou a luz do mundo.

Eu sou a porta das ovelhas.

Eu sou o bom Pastor.

Eu sou o caminho da verdade e da vida...

Eu sou o pão da vida.

Eu sou de cima.

Eu sou a ressurreição.

Eis o encanto do Pai e o canto do Filho descerrados para todos os tempos e todas as vidas.

Não há como equivocar-se aquele que deseja saber como encontrar a razão de existir, a forma como proceder, o caminho a percorrer.

Enquanto permanecer a *sombra* nos sentimentos humanos, sempre Ele estará aguardando em Luz.

Não resta outra alternativa, senão segui-lO.

Amélia Rodrigues

Paramirim – BA, 22 de julho de 2008.

GLOSSÁRIO

A	
Absolutismo	Regime político em que todos os poderes pertencem ao rei, autocracia, ditadura, autoritarismo, tirania.
Acalentado	De acalentar – confortar, acariciar, mimar, manter.
Acérrimo	Obstinado, implacável, tenaz, intenso, encarniçado.
Acolitado	De acolitar – acompanhar no caminho, ajudar, assistir, escoltar, seguir.
Açulara	De açular – instigar, atiçar, provocar.
Ádito	Câmara secreta nos templos antigos, entrada, acesso, portal.
Adusto	Queimado, ressequido, quente, ardente.
Adverso	Antagônico, contrário, incompatível, desfavorável, divergente.
Aficionado	Afeiçoado, admirador, entusiasta, simpatizante.
Afligente	Que causa aflição, angústia, tormento.
Álacre	Alegre, esperto, vivo.
Alacremente	Alegremente, espertamente, vivamente.
Alento	Hálito, coragem, ânimo, sustento.
Alfarrábio	(Do árabe *al-farabi* – filósofo muçulmano de Bagdá – 870/950 d.C.) – Livro antigo valioso.
Algoz	(Do árabe *al-gozz*) carrasco, verdugo, pessoa cruel.
Alimária	(Animália) – Animal de carga, tais como burro, mula, cavalo, camelo, elefante. Pessoa estúpida.
Altaneiro	Que se eleva muito, altanado, soberbo, altivo.
Âmago	Centro, essência, íntimo.
Amealhar	Economizar, poupar, ajuntar, acumular.
Amenizado	De amenizar – tornar agradável, abrandar, suavizar.
Ameno	Delicado, agradável, suave, brando.
Anatematiza-vam	De anatematizar – excomungar, reprovar, execrar, condenar.
Ancestralidade	Qualidade de ancestral, antiguidade, ascendência.
Anelar	Desejar ardentemente, aspirar a, almejar.

Anêmona	Gênero de plantas ornamentais com flores de cores variadas.
Animália	(Alimária) – animal de carga, tais como burro, mula, cavalo, camelo, elefante. Pessoa estúpida.
Animosidade	Aversão persistente, rancor, ressentimento.
Antagônico	Contrário, oposto, divergente.
Antolhos	Peças laterais ajustadas aos olhos de animais, forçando-os a olhar para a frente. Fig.: ações limitadoras da visão e compreensão humanas.
Aparvalhante	Desorientador, desnorteador.
Arcanos	Que são muito secretos, misteriosos, enigmáticos, ocultos. Segredos.
Arguto	De espírito sagaz, astuto, esperto.
Arrimavam	De arrimar – encostar, apoiar, sustentar, amparar.
Arroteamento	Preparação de terras para cultivo.
Artimanha	Artifício, ardil, cilada, embuste.
Asfôdelos	(Asfódelos) – Plantas bulbosas do gênero *asphodelus*, de flores brancas ornamentais e caule comestível.
Asqueroso	Que causa asco, nojento, imundo, baixo, indecente.
Astúcia	Manha, artimanha, ardil, malícia, esperteza.
Astuto	Ardiloso, esperto, malicioso.
Atávico	Herança ancestral, o que é tradicional, primitivo.
Atônito	Espantado, estupefato, pasmo, atordoado.
Aturdido	Atordoado, atônito, confuso, perturbado, perplexo.
Aturdimento	Perturbação motivada por choque físico ou emocional. Atordoamento, tonteira, vertigem.
Auspício	Patrocínio, promessa, voto.
Austeridade	Severidade, rigor.
Avaro	Que tem apego excessivo às riquezas, aquele que cobiça, avarento, sovina, usurário.
Azul-turquesa	A cor do mineral turquesa.

B	
Bago	Fruto ou semente de algumas plantas, fruto do cacho de uvas.
Bajulação	Ato de bajular, adular, lisonjear.
Baliza	Demarcação, separação, delimitação.
Báratro	Abismo, precipício, profundeza, pélago.
Beligerante	Que toma parte na guerra, combatente. Que se envolve em discussões inúteis, mordaz, irascível, brigão.
Biltre	Homem vil, abjeto, infame.
Bonomia	Qualidade do homem bom, brandura, doçura, gentileza.
Bramido	Clamor, rugido, berro.
Brocardo	Dito popular, provérbio, máxima, ditado.
Burgo	Organização comunitária surgida na baixa idade média, na época da decadência feudal e crescimento comercial e urbano. Povoado, vila, aldeia.
Burlão	Impostor, enganador, embusteiro, trapaceiro.
Burlesco	Ridículo, escarnecedor, debochado, sarcástico.
Burras	Bolsas repletas de valores, cofres.

C	
Cado	(Do hebraico *kad;* do grego *kados*) – Antigo vaso de barro para guardar azeite ou vinho. Autores divergem quanto ao volume, variando de 50, 34 ou 28 litros.
Campeando	De campear – cavalgar pelo campo à procura do gado. Procurar, buscar, prevalecer, dominar.
Canoro	Harmonioso, suave.
Caos	Confusão, balbúrdia, desordem, anarquia.
Carreado	Levado, conduzido, arrastado.
Carreiro	Caminho, estrada, senda, trilha (*carreiro carnal* – encarnação, vida na Terra).

Cataléptico	Aquele que sofre de catalepsia – estado mórbido caracterizado por sono profundo com suspensão dos movimentos e rigidez muscular.
Cátedra	Elevado posto de ensino, hierarquia, cargo.
Caviloso	Fraudulento, enganador, ardiloso, hipócrita.
Cediço	Sabido de todos, conhecido, notório, vulgar.
Célere	Rápido, veloz, ágil, ligeiro.
Celibatário	Pessoa que voluntariamente não se casa.
Cepticismo	(Do grego *skeptikós*) – Atitude de quem duvida de tudo, descrença, incredulidade.
Céptico	Que duvida de tudo, descrente, incrédulo.
Chocarrice	Gracejo atrevido, deboche, zombaria, chacota.
Chofre	(De chofre) – de repente, subitamente, imediatamente.
Cínica	(Filosofia cínica) – Corrente filosófica fundada por Antístenes, discípulo de Sócrates, no séc. V a.C. Os *cínicos* defendiam que o propósito da vida era o desprezo aos bens materiais e ao prazer.
Cinismo	Descaramento, atrevimento, sarcasmo, mau-caratismo.
Cítara	Instrumento de cordas aperfeiçoado da lira.
Clã	Grupo de pessoas oriundas da mesma linhagem, proveniente de um ancestral comum. Tribo, família.
Clímax	Momento de tensão máxima, auge, apogeu.
Comenos	Período rápido de tempo, instante, momento, ínterim, ocasião.
Comensal	Que come junto, que come em casa alheia, que se beneficia.
Comiseração	Ter pena de, sentimento de piedade, compaixão.
Concessão	Ato de conceder, permissão, consentimento.
Conciliábulo	Assembleia com objetivos malévolos, conchavo, conspiração.
Conjecturar	Presumir, pressupor, adivinhar, imaginar.
Consternação	Pesar profundo, tristeza intensa, sofrimento, abatimento.

Consumpção	Ato ou efeito de consumir, definhamento orgânico por doença crônica.
Contumaz	Que não descansa enquanto não consegue o que quer, teimoso, obstinado, persistente.
Conúbio	União, ligação, aliança, casamento.
Coreópsis	Flor conhecida como margaridinha amarela, muito singela e popular.
Corifeu	Pessoa que se destaca em uma arte, profissão ou categoria, pessoa que aconselha ou incita um personagem.
Coro	(Do grego *kóros*) – Antiga medida hebraica para produtos secos, equivalente a 220 litros.
Crestara	De crestar – secar, queimar, tostar.

D	
Deambular	Andar, caminhar, vagar, perambular.
Decantada	Exaltada, celebrada, enaltecida.
Defecção	Abandono de crença, deserção, fuga, desaparecimento.
Defluente	Que deriva de, decorrente de.
Defluía	De defluir – escoar, escorrer (líquido), decorrer, derivar.
Defraudar	Tirar proveito para si próprio, lesar, iludir, enganar.
Deificado	De deificar – incluir entre os deuses, endeusar, divinizar.
Denodo	Ousadia, coragem, bravura, valor.
Deplorável	Execrável, desprezível, indigno, vergonhoso.
Derrocada	Queda, derrota, ruína, desmoronamento.
Desaire	(Desar) – Descrédito, desdouro, desgraça, mancha.
Desalentado	Desanimado, abatido, depressivo.
Desalinho	Perturbação de ânimo, desordem.
Desarvorado	De desarvorar – desnortear, atordoar, confundir, perturbar.
Desataviado	Despido, sem adornos.

Descalabro	Derrocada, ruína, desgraça, dano, estrago.
Descerrado	De descerrar – abrir, descobrir, descortinar.
Desdenhado	De desdenhar – não fazer caso, desprezar, escarnecer, menosprezar.
Desdita	Infelicidade, desgraça, desventura.
Desesperançado	Sem esperança, desiludido, desapontado, frustrado.
Desfaçatez	Falta de vergonha, cinismo, descaramento.
Desforço	Vingança, desforra, vindita.
Desincumbência	Ato de desincumbir-se, desobrigar-se. Isenção, desencargo, desoneração.
Desolação	Extrema tristeza, aflição, devastação, amargura, angústia.
Desolador	Desanimador, devastador, entristecedor.
Despautério	Disparate, tolice, asneira.
Despojamento	Ato de despojar. Privação, libertação, redenção.
Despojar	Despir, privar, livrar, libertar.
Déspota	Indivíduo autoritário, tirano, ditador, opressor.
Despudorado	Sem pudor, descarado, imoral, obsceno.
Desvario	Alucinação, loucura, delírio, desvairamento.
Detrimento	Em prejuízo de, dano, perda, agravo, estrago.
Dídimo	(Do grego *dídymos*) – Gêmeo, o que é formado de duas partes.
Discernimento	Faculdade de julgar as coisas clara e sensatamente, critério, tino, juízo.
Discriminação	Ato de separar, diferenciar, segregar. Preconceito, desigualdade.
Disparate	Absurdo, insensatez, estupidez, desatino.
Dizima	De dizimar – (nos exércitos romanos – punição que consistia em executar um soldado em cada grupo de dez). Destruir ou exterminar em parte, desfalcar, eliminar.
Dízimo	Doação da décima parte do rendimento para atividades religiosas, oferenda.

Doesto	Insulto, injúria, vitupério.
Dúbio	Duvidoso, incerto, ambíguo, vago.

E	
Efêmero	Algo que dura pouco tempo, ligeiro, passageiro, fugaz.
Empáfia	Arrogância, soberba, insolência, desdém.
Empós	Após, depois, em busca.
Enfático	Dar importância a algo, que tem ênfase, seriedade.
Engodo	Engano, enganação, atraente, sedução.
Enredo	Trapaça, tramoia, intriga, ardil.
Ensandecido	De ensandecer – enlouquecer, alienar, dementar, desvairar.
Ensementando	De ensementar – o mesmo que semear, espalhar, fomentar, estimular, propagar.
Enternecedor	Que causa ternura, que sensibiliza. Comovente, emocionante.
Enterneci-mento	Ternura, meiguice, compaixão, caridade.
Entretecido	De entretecer – tecer entremeando, entrelaçar, inserir, intercalar, tramar, incluir.
Entronização	Ato de entronizar – elevar-se ao trono, alçar a dignidade suprema, exaltar, engrandecer, aclamar, dominar.
Envergadura	Capacidade, autoridade, competência, importância.
Envilecendo	De envilecer – tornar vil, desonrar, aviltar, rebaixar.
Eriçado	Encrespado, arrepiado.
Esbirro	Guarda-costas, capanga, serviçal, lacaio.
Escabrosidade	Relativo a escabroso, espantoso, estranho, vergonhoso.
Escaninho	Pequeno compartimento, recôndito, recanto, recesso.
Escarneci-mento	Crítica destrutiva, zombaria, insulto.
Escárnio	Menosprezo, desprezo, desdém, zombaria.

Escrúpulo	Qualidade de ser extremamente minucioso ou cuidadoso, honestidade, lisura, retidão, honra.
Escusam	De escusar – eximir, excluir, desculpar, isentar.
Esdrúxulo	Estranho, esquisito, extravagante, exótico.
Esfaimado	Faminto, esfomeado, insaciável, voraz.
Espectro	Algo assustador, fantasma, sombra, malefício.
Espezinhado	De espezinhar – desprezar, rebaixar, humilhar, oprimir, tiranizar.
Esplende	De esplender – esplandecer, fulgurar, cintilar, brilhar intensamente.
Espocavam	De espocar – estourar, explodir, arrebentar.
Espólio	Produto de saques ou pilhagens, despojos, destroços.
Esponsais	Relativo aos esposos, compromisso matrimonial, festas do casamento.
Espúrio	Que não é legítimo. Falso, adulterado, impuro.
Estiolado	De estiolar – definhar, debilitar, enfraquecer.
Estoico	Austero, rígido, impassível ante a dor e a adversidade, valoroso, resignado, tolerante.
Estorcegam	De estorcegar – ato de torcer com força, torcer-se de dor física ou moral, contorcer-se.
Estruge	De estrugir – estremecer com estrondo, estrondear, atroar, retumbar.
Estuante	Pulsante, vibrante, agitado, entusiasmado.
Estultice	Tolice, estupidez, insensatez, imbecilidade.
Estúrdio	Que é extravagante, exótico, excêntrico.
Exarado	Gravado, redigido, registrado.
Exaurido	Cansado, exausto, esgotado.
Escalracho	Erva daninha às plantações.
Excelsitude	Qualidade de excelso, alto, elevado, sublime, admirável.
Excelso	Sublime, ilustre, magnífico.

Excruciar	(Do latim *excruciare*) – atormentar, martirizar, torturar.
Exórdio	Começo de um discurso, preâmbulo.
Exornando	De exornar – adornar, enfeitar, aformosear.
Extasia	De extasiar – encantar, arrebatar, assombrar, embevecer.
Extático	Em estado de êxtase, em contemplação, arrebatado, encantado.
Exsudando	De exsudar – transpirar. Fig.: destilar, verter, ressumar, ressumbrar.
Exulceração	Ferimento, úlcera, dor, aflição, amargura.
Exulta	De exultar – sentir grande júbilo, alegrar-se ou regozijar-se ao extremo, entusiasmar, triunfar.

F	
Faina	Atividade da tripulação de navio, lida, azáfama.
Famélico	Que passa fome, faminto, esfomeado.
Fâmulo	Criado, serviçal, caseiro, subalterno.
Fascínio	Fascinação, encanto, enlevo, deslumbramento, atração irresistível.
Fátuo	Desprovido de bom senso, presunçoso, vaidoso, tolo, estúpido, fugaz.
Fausto	Suntuosidade, ostentação, pompa, esplendor.
Fímbria	Franja, orla, borda.
Flagelado	De flagelar – açoitar, chicotear, maltratar, fustigar, torturar.
Flamívomo	Que expele chamas, que lança chamas. Termo poético que define aquele que voa lançando chamas.
Formalismo	Observância de regras, preceitos, métodos; rigor.
Fornicador	Indivíduo que pratica condutas sexuais ilícitas, como o adultério. Fig.: num sentido amplo refere-se à imoralidade em geral. Caluniador, difamador.
Fossava	De fossar – revolver, remexer, fuxicar.

Fossilizando	De fossilizar – transformar em fóssil, petrificar. Fig.: que se tornou antiquado, ultrapassado, retrógrado, estagnado.
Frivolidade	Qualidade do que é frívolo, futilidade, bagatela.
Frívolo	Falta de seriedade ou consideração, coisa sem valor, volúvel, fútil.
Fustigar	Bater com força, açoitar, chicotear, magoar.

G	
Galhardia	Ânimo, distinção, generosidade, gentileza.
Ganancioso	Que não mede esforços para conseguir o que deseja, ambicioso, cobiçoso.
Gárrula	Criança faladora, tagarela.
Gentios	Povos antigos não pertencentes à casa de israel. Os estrangeiros considerados pagãos.
Grassam	De grassar – alastrar, propagar, difundir, espalhar.
Gravame	Ofensa grave, agravo, encargo, ônus.
Grei	Sociedade, partido, grupo.

H	
Hediondez	Qualidade de hediondo, repugnância, repulsa, horror.
Hediondo	Que provoca repulsão, horrível, horroroso, repugnante.
Hidrópico	Paciente portador de hidropsia – acúmulo anormal de líquido seroso (plasmático) em tecidos ou cavidades do corpo. Edema generalizado decorrente de insuficiência cardíaca.
Hierosolimitano	(Hierosolimita) – Natural de Jerusalém.
Hirto	Teso, retesado, parado, imóvel.
Hodierno	Relativo ao dia de hoje, atual, recente, novo, contemporâneo.

Holocausto	(Do grego *holocauston*) – "Sacrifício em que a vítima era queimada inteira", sacrifício, execução em massa.
Homiziavam	De homiziar – esconder, ocultar, encobrir, proteger.
Hórrido	Horrendo, apavorante, assustador.
Hosana	Louvor, aclamação, hino religioso.
Hostil	Inimigo, antagônico, provocador, agressivo.

I	
Ignóbil	Baixo, desprezível, vil, abjeto.
Ilicitude	Qualidade de ilícito, proibido, ilegítimo, contrário à moral ou ao direito.
Imarcescível	Que não murcha, inalterável, incorruptível.
Imo	O lugar mais profundo, centro, íntimo, âmago.
Imperecível	Que não perece, que dura muito tempo, eterno, imortal.
Impertinente	Inconveniente, descabido, teimoso, importuno.
Ímpio	Que não tem fé, incrédulo, herege, impiedoso.
Impostergável	Que não pode ser adiado, necessário, imprescindível.
Impostura	Mentira, engano, logro, farsa, falácia.
Impregna	De impregnar – unir de forma profunda, penetrar, embeber.
Inamistoso	Aquele que não é amigável, hostil, intolerante.
Incauto	Imprudente, sem cautela, ingênuo.
Inclemente	Desumano, áspero, impiedoso.
Incréu	Incrédulo, descrente, infiel, cético.
Incúria	Negligência, imprevidência, desleixo, descaso.
Indelével	Que não se pode apagar, indestrutível, duradouro, imutável.
Indene	Que não sofreu dano, ileso, incólume, intacto.
Indigitado	Acusado, escolhido, indicado, selecionado.
Inditoso	Desafortunado, desgraçado, desventurado.

Indumentária	Acessórios de vestir, vestimenta, vestuário, roupa.
Inebriado	De inebriar – embriagar, deliciar, extasiar.
Inefável	Que não se pode exprimir por palavras, indizível, inexprimível, admirável.
Inerme	Sem defesa, desarmado, moribundo.
Inescrupuloso	Indivíduo sem escrúpulos, desonesto, imoral.
Infamante	Que torna infame, desonrado, aviltante, ultrajante, ignominioso.
Infame	Canalha, miserável, ignóbil, desprezível, asqueroso.
Infâmia	Perda da boa fama, desonra, degradação, baixeza.
Injunção	Imposição, coação, determinação.
Inolvidável	Que não se pode esquecer, inesquecível, memorável.
Insânia	Loucura, demência, alucinação.
Insano	Louco, demente, alucinado, sem noção.
Insculpia	De insculpir – gravar, entalhar, marcar.
Insensatez	Falta de senso, desequilibrado, alienação, desatino.
Insidioso	Pessoa que arma ciladas, traiçoeiro, enganador, pérfido.
Insolente	Pessoa que se comporta com impertinência, arrogância, irreverência ou orgulho.
Insurreição	Revolta, rebelião,insubordinação.
Intemerato	Aquele que é puro, íntegro, incorruptível, cândido.
Intimorato	Destemido, sem temor.
Inusitado	Não usual, incomum, estranho.
Invitação	Convite, convocação, exortação, intimação.
Iracundo	Irado, enraivecido, encolerizado, indignado.

J	
Jactam	De jactar – vangloriar, ostentar, gabar, orgulhar, envaidecer.

Jactancioso	Vaidoso, arrogante, orgulhoso.
Jaez	Qualidade, espécie, sorte, laia.
Joeirar	Preparar o campo para ensementação, escolher, selecionar, transformar-se.
Jornaleiro	(De "vento jornaleiro") – Que ocorre seguidamente, diariamente – trabalhador remunerado por dia, a cada jornada.
Jugo	Submissão pela violência, sujeição, opressão, servidão.

L	
Labirinto	(Do grego *labyrinthos*) – Construção complexa com múltiplos corredores, que se entrecruza de tal forma a dificultar a localização da saída. Fig.: coisa complicada, confusa, de difícil solução.
Labuta	Trabalho, serviço, labor, batente.
Labor	Trabalho, serviço, labuta, batente.
Lapidando	De lapidar – apedrejar, aperfeiçoar, aprimorar.
Ledo	Ingênuo, sutil, tolo. *Ledo engano* – erro cometido por engano, sem a intenção de fazê-lo.
Lenificador	Que abranda, suavizador, mitigador.
Leni-la	De lenir – abrandar, suavizar, aplacar, mitigar.
Letargo	Adormecimento, torpor, entorpecimento, sonolência, desânimo.
Leviandade	Irresponsabilidade, imprudência, insensatez, irreflexão.
Levita	Membro da *tribo de Levi*, na tradição judaica. Alguns eram sacerdotes (descendentes de Aarão). Em geral, cuidavam do culto no templo, especialmente na área musical, como instrumentistas e cantores.
Ludibriado	De ludibriar – ato ou efeito de enganar, lograr, desdenhar, zombar, escarnecer.
Luxúria	Sensualidade, volúpia, lascívia, desejo.

M	
Magnanimidade	Grandeza de alma, nobreza, generosidade, benevolência.
Magote	Ajuntamento de pessoas ou de coisas, amontoado, porção.
Malcuidado	Desprovido de atenção ou capricho, maltratado, desleixado.
Malsão	Maléfico, daninho, nocivo, mórbido, doentio.
Malta	Grupo de pessoas de má índole, bando, corja.
Mamom	(*Mamon*) – Deus das riquezas na síria antiga. No significado evangélico é considerado o demônio das riquezas ou o demônio em geral.
Mancomunação	Complô para praticar o mal, trama, conchavo, tramoia, conluio.
Maquiavélico	Ardiloso, astuto, tenebroso, cruel.
Marchetavam	De marchetar – enfeitar, adornar, matizar, colorir.
Matilha	Coletivo de cães. Fig.: malta, quadrilha, corja.
Matiz	Cor, tonalidade. Fig.: tipo, variedade, procedência.
Mazela	Ferida, chaga, enfermidade, aborrecimento, desgosto.
Meandro	(Do grego *maiandros*: rio da Ásia Menor) – Fig.: desvio, complicação, labirinto, emaranhado.
Mediato	Aquilo que é indireto, dependente de outro, intermediário.
Meio-dia	Em geografia, o ponto cardeal sul.
Mercês	Favor, graça, benefício.
Mirífico	Que provoca admiração, espanto. Que é maravilhoso.
Mesquinharia	Pequenez, usura, avareza, desdita.
Mesquinhez	Qualidade de mesquinho, insignificância, pequenez, miudeza, avareza, egoísmo.
Mesquinho	Pessoa agarrada a bens materiais, sovina, egoísta.
Messianato	Ação ou função do messias, ato de cumprir uma missão.
Mister	Ofício, propósito, necessidade, finalidade.

Mole	Grande massa informe, grande volume (mole humana – multidão).
Mórbido	Relativo a doença, doentio. Coisa soturna ou assustadora, fúnebre.
Morbífico	Que causa doenças, insalubre, deletério, mórbido.
Morboso	Insalubre, deletério, doentio, enfermo.
Mordomia	Administração dos bens de uma casa ou de um estabelecimento.
Mordomo	(Do latim *majordomo*) – O criado maior da casa, administrador dos bens da casa.

N	
Nauseabundo	Asqueroso, repugnante, imundo, malcheiroso.
Néscio	Ignorante, estúpido, incapaz, incompetente.

O	
Oblongo	Que tem mais comprimento que largura, alongado, oval, elíptico.
Obstinação	Perseverança, persistência, tenacidade, teimosia.
Odre	Recipiente feito de couro animal para armazenar vinho ou outros líquidos.
Onomatopeia	Palavra que imita o som natural da coisa significada, imita sons da natureza (ex.: cocorocó).
Opimo	Fecundo, abundante, farto, exuberante.
Opróbrio	Desonra, ignomínia, afronta, injúria.
Ortodoxo	Que segue fielmente as regras, crente religioso, rígido, austero.
Oscula	De oscular – ato de beijar.
Outeiro	Colina, pequeno monte.

P	
Parábola	Narração alegórica que faz comparações de ordem superior.

Paradigma	Modelo, regra, padrão, costume.
Paradoxal	Que é contrário à opinião comum, algo que entra em contradição. Contraditório, incoerente, despropositado.
Paradoxo	Contrassenso, incoerência, contradição, discordância.
Parasceve	(Do grego *paraskeué* – preparativo) – Entre os judeus, referia-se à sexta-feira em que se preparavam para celebrar o sábado. Na liturgia católica, a Sexta-Feira Santa.
Parcimonioso	Que tem costume de economizar, de poupar. Sóbrio, moderado.
Paroxismo	Que se apresenta em maior intensidade, limite extremo, clímax, ânsia, máximo.
Patético	Bobo, trouxa, estúpido, comovente.
Pecha	Mau costume, defeito, falha, mancha.
Peçonhento	Venenoso, deletério, malévolo, perverso.
Pentagrama	Pauta onde se escrevem as partituras. Estrela de cinco pontas como símbolo esotérico da ação do espírito sobre a matéria. Fig.: Jesus colocava suas canções (pregações) no pentagrama das tardes.
Perfídia	Falsidade, deslealdade, calúnia, traição.
Pérfido	Falso, desleal, traidor.
Périplo	(Do grego *períplous*) – Viagem em torno de uma região, tanto em terra quanto no mar.
Perpassou	De perpassar – passar junto ou ao longo de, passar além de, transcorrer.
Perplexidade	Assombro, estupefação, admiração, pasmo.
Perscrutar	Investigar minuciosamente, examinar, sondar, explorar.
Pirotecnia	Espetáculo de fogos de artifício. Fig.: artimanha para desviar a atenção ou impressionar.
Piscoso	Que tem muitos peixes.
Plúmbeo	Que tem a cor do chumbo, acinzentado.
Poluindo	De poluir – contaminar, corromper, conspurcar, perverter.

Porfiar	Empenhar, teimar, insistir, obstinar-se.
Pórfiro	Variedade de mármore muito duro, de cor verde ou púrpura.
Prebenda	(Do latim *praebenda* – coisas que devem ser dadas) – Rendimento recebido por autoridades religiosas. Benesse, mamata.
Precípite	Veloz, muito rápido, célere, acelerado.
Prelúdio	Aquilo que precede, prenúncio, iniciação.
Prenhe	Cheio, repleto, pleno, farto.
Prepotência	Sentimento falso de superioridade, autoritarismo, opressão.
Pressaga	Que é pressagiadora, que prevê, que pressente.
Presunção	Ato de presumir, pretensão, arrogância, vaidade, orgulho, suposição, suspeita.
Presunçoso	Pretensioso, arrogante, orgulhoso.
Prevalência	Preponderância, primazia, predomínio, ascendência.
Primarismo	Qualidade de primário, elementar, rudimentar.
Primícias	O que vem em primeiro lugar, primórdios, começos.
Probo	Íntegro, honesto, confiável.
Pródromo	Primórdio, início, começo, princípio, precursor.
Progenitor	O que procria antes do pai, avô. Na acepção usual, refere-se ao pai.
Progenitura	Procedência, descendência, geração, origem.
Prólogo	Prefácio, introdução, apresentação, introito.
Promiscuidade	Relacionamento humano inadequado ou pervertido, devassidão, libertinagem.
Propalado	De propalar – tornar público, divulgar, espalhar, disseminar.
Propositura	Ato de propor, proposta, proposição.
Prosápia	Raça, linhagem, ascendência, progênie. Orgulho, ostentação, jactância.
Pugna	Luta, peleja, combate.
Pulcritude	Formosura, beleza, gentileza.

Pululam	De pulular – germinar, brotar, multiplicar, abundar.
Pungitivo	Que sente sofrimento, pungente, sofredor, aflitivo, lancinante.
Puritano	Relacionado ao puritanismo, puro, íntegro.
Pusilânime	Indivíduo sem ânimo ou firmeza, indeciso, medroso, covarde.
Pusilanimidade	Qualidade de pusilânime, sem ânimo, fraqueza, indecisão, medo, covardia.

Q	
Quotidiano	É o dia a dia, cotidiano, diariamente, constantemente.

R	
Rabino	Líder religioso judaico, doutor da lei, mestre nas sinagogas.
Ralé	De baixo nível, plebe, populacho, escória.
Recalcitrante	Resistente, teimoso, inflexível, irascível.
Reduto	Recinto, lugar, refúgio.
Referta	Muito cheia, plena, abundante, volumosa.
Refestelavam	De refestelar – acomodar, deleitar, fartar.
Refolho	A parte mais íntima da alma, aquilo que é secreto, oculto.
Refrega	Peleja, briga, luta.
Regurgitante	Abarrotado, transbordante, repleto.
Renhida	Encarniçada, desesperada, disputada, intensa.
Renitente	Obstinado, teimoso, persistente.
Reprimenda	Advertência, censura, admoestação.
Réprobo	Condenado, precito, perverso, malvado, infame.
Reprochável	O que é proibido, lançar em rosto, censurável.
Reproche	Ação de censurar, repreensão, admoestação, descompostura.
Repúdio	Rejeição, desprezo, repulsa.

Ressaibo	Decepção, ressentimento, desagrado, dissabor.
Ressumam	De ressumar – gotejar, verter, destilar, revelar, patentear.
Reverdecer	Revigorar, fortalecer, robustecer, fortificar.
Revide	De revidar – vingar ofensa ou agressão, contrapor, retrucar, replicar.
Ridente	Risonho, alegre, animado, festivo.
Roca	Antiga máquina de fiar que transforma a fibra em fio, para a confecção de tecidos rústicos.
Romanesco	Romântico, apaixonado, sonhador, idealista.

S	
Saduceu	Seita judaica originária do II século a.C., formada pelo alto escalão social e econômico daquela comunidade.
Sáfaro	Agreste, árido, desértico, estéril, rude.
Saga	Conjunto de histórias ou lendas de um povo, sua cultura e religião (saga do povo hebreu).
Sagacidade	Qualidade ou virtude de sagaz, agudeza de espírito, argúcia, manha, malícia.
Sagaz	Que tem agudeza de espírito, perspicaz.
Salmodiava	De salmodiar – cantar tristemente, entoar salmos sem inflexão de voz.
Sandia	(Feminino de *sandeu*) – idiota, tola, ingênua, simplória.
Sarcasmo	Zombaria, escarnecimento, deboche.
Seara	Campo semeado, safra, colheita, messe.
Senciente	Que tem a capacidade de sentir, que tem sentimentos. *"A diferença entre a mente de um ser humano e de um animal superior é certamente em grau e não em tipo"* (Charles Darwin).
Servilismo	Bajulação, aviltamento, degradação, sordidez.
Setentrião	(Do latim *septentrione*) – "As sete estrelas da Ursa Menor" – Polo Norte, as regiões do Norte, o vento norte.
Sevícia	Maus tratos, tratar violentamente e com crueldade.

Sicário	(*Sica* – punhal romano) – Assassino pago, torturador.
Símile	Qualidade do que é semelhante. Análogo, imitação, congênere.
Sobejam	De sobejar – o que está em excesso, sobrar em demasia, superabundar.
Soberba	Orgulho excessivo, altivez, arrogância, presunção.
Soberbo	Indivíduo mesquinho, orgulhoso, altivo, arrogante, presunçoso.
Sofismarem	De sofismar – enunciar falsamente, falsificar, enganar, iludir, tapear.
Sofista	Aquele que usa de argumentos que enfraquecem a verdade em favor do falso. Enganador, hipócrita.
Solerte	Pessoa sagaz, manhosa ou velhaca.
Sordidez	Miséria extrema, repugnância, baixeza, degradação, infâmia.
Sórdido	Que causa nojo ou repugnância, imoral, mesquinho, infame.
Sortilégio	Que seduz com encantos especiais, feitiço, magia, encantamento, fascinação.
Soturno	Assustado, amedrontado, lamentoso.
Subserviente	Que obedece às ordens com espírito de submissão, servil, submisso, obediente.
Sumamente	Em alto grau, grandemente, extremamente, imensamente.

T	
Tabernáculo	Festa das tendas, festa das colheitas, de dois a nove de outubro (*tishri*) – coincide com o início da estação das colheitas. Recorda também a peregrinação dos hebreus por quarenta anos no deserto, quando viviam em tendas.
Tacão	Salto da bota. Fig.: domínio por autoridade tirânica, opressão, repressão.
Taciturno	Que fala pouco, calado, triste, sombrio.
Tangido	Que é obrigado, impelido.

Tenazes	Tesoura de ferreiro para segurar ferro em brasa. Fig.: perfídias, traições, calúnias.
Tertúlia	Reunião familiar, assembleia de amigos.
Tetrarquia	Reino dividido entre quatro reis. Ex.: Herodes Antipas era o tetrarca da Galileia que governava esta região à época de Jesus.
Tétrico	Triste, fúnebre, lúgubre, horrível, medonho.
Titubeou	De titubear – hesitar, tropeçar, enrolar, trapacear.
Tonitruante	(Tonitroante) – Que troveja, que estronda, trovejante, atroador.
Torpe	Infame, vil, abjeto, ignóbil, repugnante, obsceno.
Torpeza	Infâmia, abjeção, repugnância, obscenidade.
Trepidou	De trepidar – vacilar, hesitar, titubear, tremer.
Tresmalharam	De tresmalhar – deixar perder, desgarrar, dispersar, extraviar.
Tricas	Intrigas, trapaças, tramoias, traições.
Truanesco	Fora de propósito, estranho, absurdo, surreal.
Truculência	Uso de violência, crueldade, atrocidade, brutalidade.
Turbamulta	Multidão, aglomeração, confusão, desordem.
Túrgido	Dilatado, inchado, cheio.

U	
Ufanava	De ufanar – envaidecer, regozijar, vangloriar.
Ultrajado	Afrontado, desacatado, injuriado, ofendido.
Ultraje	Afronta, desrespeito, injúria, insulto.
Ultriz	Que vinga, vingadora (ultor – que vinga, vingador). Atroz, intensa, profunda.
Urdido	De urdir – tramar, premeditar, maquinar, enredar.
Usurpação	Ato de apossar-se violentamente de, adquirir com fraude, obter sem direito.
Usurpador	Que se apossa violentamente de, que toma pela força, que adquire por fraude, sem direito.

Utilitarismo	Doutrina que vê no útil o valor supremo da vida. Bem-estar, utilidade, valor.

V	
Vacuidade	Estado, condição ou qualidade do que é ou está vazio. Vazio moral, intelectual ou espiritual.
Vascas	Estertores, ânsias, sofrimentos.
Vassalo	Servo, súdito submetido ao seu rei.
Vaticinavam	De vaticinar – profetizar, predizer, pressagiar.
Vaticínio	Profecia, predição, pressentimento, presságio.
Venal	Aquele que se vende, corrupto, subornável, corrompido.
Vendilhões	Vendedores ambulantes.
Venerando	Respeitável, magnífico, grandioso, solene.
Verdugo	Indivíduo cruel e desumano, carrasco, algoz.
Vergastam	De vergastar – açoitar, chicotear, flagelar, maltratar.
Vérmina	Ferida cheia de larvas, “ferida bichada”, miíase. (Verminar – deixar bichar, encher de vermes, estragar, corromper, danificar).
Vexatório	Vergonhoso, infame, humilhante, deprimente.
Vicissitude	Mudança ou variação na sucessão das coisas, transformação, alteração, eventualidade, má sorte, azar, revés.
Viger	Ter eficácia, vigorar, valer.
Vil	Ordinário, infame, desprezível, mesquinho (plural – vis).
Vindima	Colheita de uvas, a época dessa colheita.
Virações	Vento brando e fresco.
Virga	(*Verga*) (*ê*) – Vara flexível, açoite. Fig.: jugo opressivo.
Volúpia	Prazer dos sentidos, grande prazer.
Voluptuoso	Com grande prazer, com deleite, delicioso, sensual.

Z	
Zimbório	Cúpula, firmamento, abóbada celeste.